LES DEUX TERRIBLES

QUE LE MEILLEUR GAGNE

Édition originale publiée en 2015 sous le titre
The Terrible Two par Amulet Books,
une marque de Harry N. Abrams, Incorporated, New York.
Texte : © 2015, Mac Barnett et Jory John
Illustrations : © 2015, Kevin Cornell
Conception graphique de Chad W. Beckerman.
Tous droits réservés.

Pour la traduction française :
Mise en page : Philippe Duhem
© 2015, Éditions de La Martinière Jeunesse,
une marque de La Martinière Groupe, Paris.
ISBN : 978-2-7324-6605-7

www.lamartinierejeunesse.fr

Conforme à la loi n° 49-956 du 16 juillet 1949 sur
les publications destinées à la jeunesse.

MAC BARNETT

JORY JOHN

LES DEUX TERRIBLES

QUE LE MEILLEUR GAGNE

Traduit de l'anglais (États-Unis) par **AMÉLIE SARN**

Illustré par **KEVIN CORNELL**

La Martinière **j.**
FICTION

BIENVENUE À ROUPILLEVILLE, une contrée idyllique où les collines verdoient, les ruisseaux gloutloutent et les vaches ruminent à perte de vue. D'ailleurs, en voici une.

Roupilleville en chiffres :

Si on empilait toutes les vaches de Roupilleville, la hauteur obtenue serait de deux fois la distance de la Terre à la Lune. (Cela dit, ce n'est sans doute pas une bonne idée d'empiler des vaches, car, vous ne le savez peut-être pas, mais les vaches souffrent de vertige et ne peuvent respirer dans l'espace sans un casque de spationaute.)

En 1836, à la suite d'une erreur de scrutin, une vache a été élue maire de Roupilleville (après un premier mandat, elle a d'ailleurs été reconduite dans ses fonctions). Une statue en son honneur a été érigée au centre de la place de la mairie.

Si vous passez la journée près d'une vache, vous ne l'entendrez pas meugler plus d'une centaine de fois. (Le comptage de meuglements est un passe-temps très apprécié à Roupilleville.)

Et de un !

Roupilleville est un endroit très excitant, n'est-ce pas ? (Du moins, si vous aimez les vaches.)

VOICI MILES MURPHY. Il est justement en route pour Roupilleville. Observons-le de plus près.

Vous remarquerez son expression lugubre. Vous remarquerez également son front appuyé contre la vitre de la voiture. On dirait qu'il a envie de passer à travers pour s'échapper.

Écoutez… Il n'arrête pas de soupirer.

C'était son centième soupir de la journée.

– Miles, arrête de soupirer, fit Judy Murphy, qui était au volant. Tu devrais être content : on va avoir une vraie maison ! Ta chambre sera beaucoup plus grande ! Et on aura même un petit jardin ! C'est chouette, non ? C'est un nouveau départ pour nous deux. Alors, sois gentil, souris !

Mais Miles ne souriait pas, car il n'avait aucune envie d'aller vivre à Roupilleville. Il était furieux de quitter ses amis Carl et Ben, son appartement dans un immeuble rose près de la mer, sa chambre aux murs de laquelle il avait collé des cartes du monde qu'il n'avait pas réussi à décoller avant de partir (il n'aurait pas dû mettre autant de colle). Il était également furieux de ne plus pouvoir aller au petit supermarché en bas de chez lui, où il avait l'habitude d'acheter des bonbons. Et surtout, surtout, il était furieux de devoir abandonner sa réputation de « roi du canular » à l'école. Réputation qu'il avait durement acquise grâce à des années de farces plus ingénieuses les unes que les autres.

En réalité, Miles continuait d'espérer que sa mère ferait demi-tour et les ramènerait à la maison. Mais la voiture continuait de rouler, inéluctablement, en direction de Roupilleville.

IL ÉTAIT MINUIT PASSÉ et Miles faisait les cent pas dans sa nouvelle chambre. Elle était trop grande. Les murs étaient trop nus. Il y avait trop de cartons partout. Cette chambre était trop bizarre et, du coup, il n'arrivait pas à fermer l'œil.

La maison entière était trop bizarre, d'ailleurs.

Même le jardin était trop bizarre.

Rien n'allait.

Miles se fichait pas mal d'avoir une grande chambre, une maison et un jardin.

Ce nouveau départ était nul.

Il se recoucha et éteignit sa lampe de chevet, posée sur un carton.

Miles ne trouvait décidément pas le sommeil. Dans son ancienne chambre, le bruit des vagues le berçait et l'aidait à s'endormir.

Il se releva et ouvrit la fenêtre. Au loin, une vache meugla.

De la fenêtre de son ancienne chambre, il sentait la mer.

De cette fenêtre, il sentait les vaches.

Cette journée avait été horrible, mais le lendemain promettait d'être bien pire : ce serait son premier jour dans sa nouvelle école.

Il retourna se coucher, l'angoisse au ventre.

MILES SE RÉVEILLA. Il avait toujours l'angoisse au ventre.

Il ouvrit les yeux et fixa le plafond. La veille, il avait souhaité de toutes ses forces que tout ça ne soit qu'un mauvais rêve ; maintenant, il espérait être encore en train de rêver.

Il referma les yeux et essaya de se rendormir mais, en bas, sa mère préparait le petit déjeuner. Une odeur d'œufs flottait jusque dans sa chambre. Une odeur d'œufs et de vache. À moins que ce ne soit qu'une odeur de vache.

Miles mangea ses œufs et leur trouva un goût d'angoisse.

Cette angoisse ne le lâcha pas durant tout le trajet en voiture jusqu'à l'académie des sciences et des lettres de Roupilleville. (Tu parles d'un nom pompeux pour un simple collège !)

— Maman, et si je sautais cette classe ? Des tas d'élèves le font. Comme ça, je pourrais rester à la maison et travailler sur des projets à moi. Tu sais, j'ai plein de projets, bien assez pour que ça m'occupe toute l'année.

— Quand tu sautes une classe, Miles, tu es quand même obligé d'aller à l'école. Tu es seulement dans la classe au-dessus.

— Je sais, mais si je faisais ça je serais plus jeune que tous les autres et ce ne serait pas très bon pour mon développement. C'est pour ça qu'il serait plus sage que je passe l'année à travailler sur des projets personnels.

— Ça n'arrivera pas, Miles.

— Et si je voyageais, alors ? Tu sais que j'ai envie de découvrir le monde ! On dit que les voyages forment la jeunesse !

— Non.

— Une année sabbatique, alors. Est-ce que tu sais ce qu'est une année sabbatique, maman ?

— La question est plutôt : Est-ce que, toi, tu sais ce qu'est une année sabbatique, Miles ?

– Ben, c'est une année qu'on passe à travailler sur des projets personnels.

– Oui. Alors non.

Ils étaient arrivés devant l'école.

– Tu n'as rien oublié ? demanda sa mère en se garant.

Miles énuméra mentalement : son cartable neuf, sa boîte à déjeuner neuve avec son déjeuner à l'intérieur, son classeur neuf, ses cahiers neufs, sa veste neuve et surtout… son vieux carnet de blagues.

Ce carnet ne payait pas de mine (pour ne pas éveiller les soupçons), mais il contenait tous les plans, toutes les cartes, toutes les notes et toutes les descriptions détaillées des meilleurs canulars de Miles.

Le fantôme, la dent manquante, l'opération « Devoirs mouillés » et d'autres encore : deux chats pour un chien, le poisson dans le lit, la limonade sans sucre, la mission tarte aux pommes, bref, tout ce qui avait rendu Miles célèbre : le ketchup-sang, des raisins partout, l'opération « Short de Sandy ».

Le premier jour dans une nouvelle école est celui où vous pouvez décider quel genre d'élève vous allez être : le studieux ; celui qui a des chaussures cool ; celui qui sait tout sur les vieilles voitures ou sur l'actualité ou sur la Première Guerre mondiale ; celui qui a toujours du baume à lèvres sur lui ; le fort aux échecs ; le fort au basket ; celui qui s'occupe d'un tas d'associations ; celui qui collecte l'aide alimentaire ; celui qui se met toujours au premier rang ; celui qui se met toujours au dernier ; celui qui lève toujours le doigt même s'il ne connaît pas la réponse ; celui qui a déjà vu des films X ; celui qui prétend avoir vu des films X ; celui qui n'a pas la télé et veut toujours aller la regarder chez les autres. Vous pouvez même faire croire que vous venez de l'étranger et imiter un accent ; apporter un cadeau au prof et devenir le chouchou ; être celui qui a des fournitures super chères ; celui qui passe son temps à tailler son crayon ; celui qui porte des chaussettes dépareillées ; celui qui est en short tous les jours quel que soit le temps.

ACADÉMIE DES SCIENCES ET DES LETTRES DE ROUPILLEVILLE

MESSAGE DU DIRECTEUR BARKIN :

BON RETOUR, MES PETITS VEAUX !

QUE CETTE ANNÉE SOIT LA MEILLEURE DE TOUTES !

Le premier jour est celui où vous pouvez devenir une nouvelle personne et le rester toute votre vie.

Mais Miles ne voulait rien être de tout ça. Il voulait juste rester ce qu'il avait toujours été : le roi du canular.

— Au revoir, m'man.

Il sortit de la voiture et contempla l'académie des sciences et des lettres de Roupilleville. C'était un bâtiment en brique, en forme de brique, avec, comme dans toutes les écoles, un fronton, un drapeau accroché au fronton, des groupes d'élèves, des buissons, des arbres, une voiture sur le perron…

Quoi ?

Non, ce n'était pas possible…

Miles s'approcha d'un groupe d'élèves qui pouffaient et ricanaient. Certains, même, s'esclaffaient.

— Vous avez vu ça ? Une VOITURE sur le PERRON ! commenta un garçon. C'est quoi, ce délire ? Non, mais, sérieusement ! C'est DINGUE !

Il s'appelait Stuart et personne ne lui répondit. (Il arrivait souvent à Stuart que personne ne lui réponde parce qu'il passait son temps à dire des trucs qui ne servaient à rien. En plus, il accentuait ses phrases bizarrement et ça le rendait énervant.)

Le cœur de Miles battait à cent à l'heure.

Quand la sonnerie retentit, l'alarme de la voiture se déclencha. Personne ne bougea.

– C'est DINGUE ! répéta Stuart, plié de rire. On ne peut pas entrer avec cette VOITURE sur le PERRON !

« C'est un canular de premier ordre », se dit Miles en souriant malgré lui. Mais il s'arrêta vite de sourire.

C'était *vraiment* un canular de premier ordre.

Ce qui signifiait qu'il y avait déjà un « roi du canular » dans cette école. Et un sacrément bon.

Miles Murphy ne savait rien sur la Première Guerre mondiale. Ses chaussettes n'étaient pas dépareillées. S'il ne pouvait pas être celui qui fait les farces, il ne serait personne.

Chapitre
5

LE DIRECTEUR BARKIN prenait son rôle de directeur de l'académie des sciences et des lettres de Roupilleville très au sérieux. Et, à cet instant précis, il était très en colère.

Pourtant, quelques heures plus tôt, à 4 h 44 du matin, quand son réveil avait sonné, il avait ouvert les yeux de très bonne humeur. Le jour de la rentrée, il était toujours l'homme le plus heureux de Roupilleville.

Il avait jailli du lit et sauté sous sa douche. Tout en se shampouinant, il avait chanté une chanson improvisée.

– Quelle belle journée, c'est la rentrée, la rentrée, la rentrée !

Il avait ensuite noué sa cravate préférée, qui était rouge pétant.

Elle avait malheureusement une minuscule tache de moutarde séchée, mais il en adorait la couleur (de la cravate, pas de la tache de moutarde). Le rouge, comme chacun le sait, est la couleur du pouvoir ! Les présidents de la République le savent, les banquiers le savent. Et le directeur Barkin le savait mieux que personne.

Il avala son petit déjeuner – de la bouillie d'avoine étalée sur des tartines, une recette inventée par son grand-père et baptisée le « petit déjeuner des Barkin ». Il en profita pour relire le chapitre préféré de son livre préféré : *Les Sept Piliers du pouvoir des directeurs.*

Puis il s'enfonça dans le confortable siège en cuir de sa voiture et, alors que le jour n'était même pas levé, il prit la direction de l'académie. Le parking était évidemment encore vide. Il y avait une place réservée avec une pancarte qu'il avait écrite lui-même :

Il sortit de sa voiture et essuya une tache sur son pare-brise avec l'envers de sa cravate. Puis il leva les yeux vers l'académie, son académie, émit un petit bruit satisfait et franchit la porte de derrière, réservée aux professeurs.

Dans son bureau, il s'installa dans son fauteuil avant de faire craquer les jointures de ses doigts. Il tailla un crayon et se pencha sur une feuille d'un blanc immaculé pour rédiger son discours de rentrée.

« Je suis le directeur Barkin et je suis votre directeur », écrivit-il.

Il réfléchit une seconde et ratura cette première phrase. Dans son discours, il devait montrer son pouvoir et ce n'était pas facile. Il était sans doute un peu rouillé et il avait besoin de se concentrer. À 6 h 15, son téléphone sonna.

– Oui ? grommela-t-il en décrochant.

– Hé, salut ! Je vous appelle de la part de la Papeterie du tatou au Texas. Vous allez bien ? On veut vous faire profiter d'une super-offre de promo pour la rentrée : on fait des prix sur les trombones et les agrafes ! C'est pas cool, ça, les agrafes ?

– Pas maintenant ! beugla Barkin. Je suis en train d'écrire mon discours de rentrée !

Il raccrocha violemment.

À 6 h 21, le téléphone sonna à nouveau. Il décrocha et hurla :

– Quoi ?

Il se rendit compte qu'il tenait le combiné à l'envers et le retourna avant de crier encore :

– Quoi ?

– Bonjour, cher monsieur, fit une voix avec un léger accent anglais. Comment vont vos fenêtres, ce matin ? Sont-elles propres ? Si ce n'est pas le cas, l'entreprise Lav'glace est ravie de vous proposer une offre très intéressante sur les produits de nettoyage.

– J'ai pas le temps ! riposta Barkin. Discours de rentrée !

– Vous vous demandez sûrement comment un Anglais a pu atterrir aussi loin de sa contrée natale ? reprit la voix. Eh bien, c'est une histoire très intéressante…

– Rappelez plus tard !

Barkin raccrocha encore plus violemment que la première fois.

À 6 h 36, le téléphone sonna encore. Barkin se leva brusquement. Il n'avait plus le choix.

Tous les directeurs devraient avoir un lieu connu d'eux seuls où ils peuvent réfléchir tranquillement et écrire leur discours de rentrée sans être dérangés. Le directeur Barkin en avait un. Cet endroit était son royaume, son jardin secret, sa retraite, son sanctuaire : le placard à balais du deuxième étage.

Il poussa une serpillière et tira la chaînette qui allumait la lumière. Une seconde serpillière le gênait et il la cala tant bien que mal contre le mur pour s'asseoir à son aise sur un seau retourné. Enfin, il pouvait se mettre à écrire. Emporté par l'inspiration, il perdit toute notion du temps. À 7 h 38, il émergea de son refuge. Dans sa main, le discours de rentrée le plus puissant de l'histoire de l'académie des sciences et des lettres de Roupilleville.

C'est à ce moment qu'un élève qui passait dans le couloir lui annonça que sa voiture était garée sur le perron de l'école.

QUARANTE **ÉVÉNEMENTS** se produisirent dans la foulée.

1. Le directeur Barking jeta son discours en l'air.

2. Il dévala les marches quatre à quatre.

3. Il regarda par la fenêtre et vit sa voiture.

4. Il remarqua quelques élèves dans l'allée.

5. Il vérifia sa montre. Il restait dix-neuf minutes avant la sonnerie.

6. « Réfléchis », s'intima-t-il.

7. En cherchant ses clés dans sa poche, il les fit tomber par terre.

8. Il les ramassa.

9. Il sortit sur le perron et escalada le capot de sa voiture.

10. Il réussit à ouvrir la portière et entra dans le véhicule.

11. Il démarra le moteur.

12. Il passa la première.

13. Il se rendit compte qu'une voiture ne pouvait pas descendre les marches d'un perron.

14. Il coupa le moteur.

15. « Réfléchis », s'intima-t-il.

16. Il redémarra et passa la marche arrière.

17. Il écrasa la pédale de frein.

18. « Zut, l'escalier », s'était-il rappelé juste à temps.

19. Il ressortit et réescalada son capot.

20. Il se retrouva de nouveau devant la porte de l'académie en se demandant quoi faire.

21. Il courut à son bureau et appela l'entreprise de dépannage de Roupilleville.

22. Il demanda s'il était possible de faire descendre des marches à une voiture.

23. On lui répondit que non.

24. Il appela la police de Roupilleville et demanda qu'on lui envoie un hélicoptère pour soulever sa voiture et la redéposer sur sa place réservée dans le parking.

25. La police refusa.

26. Il raccrocha, très énervé.

27. Il redécrocha l'appareil pour s'assurer qu'il ne l'avait pas cassé.

28. Il retourna à l'entrée.

29. Il contempla de nouveau sa belle voiture jaune.

30. Il regarda sa montre. Plus que trois minutes avant la sonnerie.

31. Il se demanda s'il allait être obligé d'annuler cette première journée d'école. Aucun directeur n'avait annulé de journée d'école à Roupilleville depuis le grand blizzard de 1932.

32. « Il y a forcément un moyen », tenta-t-il de se persuader.

33. « Ou pas », ajouta-t-il mentalement.

34. « Mais je ne peux pas annuler l'école. »

35. « Mes sièges de voiture sont en cuir, quand même. »

36. La sonnerie retentit.

37. Le directeur Barkin n'avait plus le choix.

38. Il sortit de l'école par la porte vitrée.

39. Il grimpa sur le toit de sa belle voiture jaune.

40. Il s'éclaircit la gorge et prit la parole.

MILES MURPHY, sur la pelouse de l'académie
des sciences et des lettres de Roupilleville, regarda
l'homme sur le toit de la voiture.

– Bonjour, jeunes gens, lança ce dernier. Je veux savoir
qui a fait ça.

Silence. Au loin, une vache meugla.

– Je vois… En raison de ces déplorables circonstances,
en cette première matinée de ce qui sera certainement la
meilleure année de l'académie des sciences et des lettres de
Roupilleville, je me vois dans l'obligation de demander à
tous les élèves d'entrer dans l'établissement en passant par
ma voiture. J'aimerais que vous fassiez particulièrement
attention aux sièges en cuir que je me suis offerts pour mon
anniversaire. En réalité, mon anniversaire ne sera que dans

trois semaines, vous pouvez le noter si vous désirez me montrer le respect et l'admiration que vous devez à votre directeur !

– Mais… commença un garçon à côté de Miles.

Barkin posa les yeux sur lui.

– J'apprécie ce que je suppose être une inquiétude bien légitime pour mes sièges de voiture, monsieur Jenkins, mais sachez qu'après avoir étudié toutes les solutions j'en suis arrivé à la conclusion que nous n'avons pas d'autre choix.

– Mais… protesta une fille au premier rang.

– Je suis désolé, mademoiselle Nesser, mais si vous ou un autre de vos camarades pensez que je vais annuler cette rentrée, vous vous trompez lourdement.

– Mais…

– IL N'Y A PAS D'AUTRE SOLUTION ! aboya le directeur. JE VAIS MAINTENANT DESCENDRE DU TOIT DE MA VOITURE ET OUVRIR LES PORTIÈRES. QUAND JE DONNERAI UN COUP DE SIFFLET, VOUS ENTREREZ UN PAR UN EN

FAISANT TRÈS ATTENTION ET VOUS IREZ EN CLASSE ! MAIS SACHEZ QUE JE FINIRAI PAR DÉMASQUER LE RESPONSABLE DE CETTE FARCE LAMENTABLE ! MON ENQUÊTE COMMENCE MAINTENANT. N'OUBLIEZ PAS : JE VOUS TIENS TOUS À L'ŒIL ET JE N'AURAI PAS DE REPOS AVANT D'AVOIR MIS LA MAIN SUR LE COUPABLE. ET MAINTENANT, COMMENÇONS NOTRE MEILLEURE ANNÉE !

Barkin siffla et les élèves se mirent en file indienne. Le directeur les regarda traverser sa voiture en grimaçant. Il ne put s'empêcher des remarques cinglantes :

– VOS CHAUSSURES SONT BOUEUSES, MADEMOISELLE BERGNER !

– QUI A AMENÉ CETTE FEUILLE
MORTE ? QUI A PRIS LA MONNAIE
DANS LE VIDE-POCHE ?

Voici à quoi ressemblait la voiture du directeur Barkin
avant qu'il parte pour l'école :

Voici à quoi elle ressemblait quand ce fut le tour de Murphy, l'avant-dernier élève à la traverser.

Alors que Murphy se contorsionnait pour passer, le dernier élève prit la parole. Il ressemblait au directeur Barkin, en miniature.

– Mais papa…

– QUOI, JOSH ?

– Pourquoi tu ne nous as pas fait passer par la porte de derrière ? Nullos, ajouta-t-il à voix basse. (Mais Murphy l'entendit.)

C'était vrai, l'école avait une entrée sur l'arrière et son père l'avait empruntée le matin même.

Le directeur Barkin regarda dans le lointain, en direction d'un champ de vaches.

Aucune ne meugla.

LE CHAOS RÉGNAIT DANS LE HALL.

– QUI A FAIT ÇA ? hurlait le directeur à chaque élève qu'il croisait. TOI ? OU TOI ?

Aucun ne le regardait. Les élèves de l'académie des sciences et des lettres de Roupilleville connaissaient bien leur directeur. Sauf Miles, qui n'avait jamais vu un adulte se comporter comme ça. Il n'avait jamais vu un adulte ressembler à ça : le visage écarlate, presque violet, comme du raisin ou certains couchers de soleil sur la mer. Il arrivait que le directeur de son ancien collège se mette en colère, mais jamais il n'élevait la voix de cette façon. Et il ne prenait jamais cette drôle de couleur. C'était fascinant.

– EST-CE QUE C'ÉTAIT TOI ? cracha M. Barkin en tendant un doigt accusateur sous le nez de Miles.

Son doigt était tout blanc, ce qui n'était pas étonnant car tout son sang s'était concentré sur son visage.

– Hein ? fit Miles.

C'est la meilleure repartie quand on risque des ennuis.

– TOI ! TU ES DANS MON ACADÉMIE ET JE NE T'AVAIS JAMAIS VU ! POURQUOI ES-TU LÀ ?

– Je suis nouveau, répondit Miles.

Le directeur devint légèrement moins violet.

– Ton nom ?

– Miles.

– Je n'aime pas ça du tout, déclara le directeur. On a déjà un Niles.

– Moi, c'est Miles.

– C'est mieux, mais on risque quand même de se tromper. Que dirais-tu de Tony ? Ou Chuck ?

– Je préférerais garder mon prénom, objecta Miles.

– On fait son malin, hein ? Ce qui me ramène à ma première question : Est-ce que c'était toi ?

– Moi quoi ?

– Qui a amené ma voiture sur le perron !

– Non, monsieur. Je n'ai pas le permis.

– C'est la première raison pour laquelle tu n'aurais pas dû conduire ma voiture ! Et ce n'est pas la seule !

– Mais je n'ai pas conduit votre voiture ! protesta Miles.

– Alors… comment l'as-tu amenée en haut de cet escalier ?

– Je ne sais pas, monsieur.

Le directeur Barkin plissa les paupières.

– Hum ! Eh bien, Miles, je vais te tenir à l'œil ! Je vais même me servir de mes deux yeux pour ça ! En attendant, bienvenue à l'académie des sciences et des lettres de Roupilleville. Comment trouves-tu notre ville ?

Miles haussa les épaules.

– Ça va.

– « Ça va » ? C'est tout ce que tu trouves à dire ? Roupilleville est un paradis ! Des pâturages verdoyants et des vaches comblées à perte de vue ! Tu sais que Roupilleville est la capitale bovine du pays, en tout cas de la région ! Si on oublie les quelques villes qui trichent !

– Je ne suis pas très sûr que les vaches m'intéressent, monsieur.

Le visage du directeur s'empourpra un peu plus. Au loin, une vache meugla. Le directeur pointa le doigt dans la direction d'où venait le meuglement, puis vers Miles.

– LES VACHES NE T'INTÉRESSENT PAS ?

– Euh… ben… bafouilla Miles.

– Mon garçon, si les vaches ne t'intéressent pas, ce ne peut être que parce que tu ignores à quel point elles sont intéressantes, affirma M. Barkin en sortant un livret de la banane qu'il portait autour de la taille. Tiens, prends ça !

— Lis-le, relis-le et, quand tu auras fini, recommence au début, lui intima le directeur. C'est mon livre préféré ! Et pas seulement parce que j'en ai écrit la préface.

— Merci, fit Miles, mais je ne voudrais pas vous priver…

— Ne t'en fais pas, mon garçon. J'en ai plein d'autres dans ma banane.

Miles se demandait s'il pouvait s'éclipser et aller en classe, mais le directeur lui barrait le passage.

— Autre chose, mon garçon, reprit-il comme s'il se souvenait soudain d'une chose importante : ici, on assigne aux nouveaux un élève pour les guider et leur rappeler les règles de l'établissement. Parmi lesquelles il est spécifié qu'il est interdit de garer ma voiture sur les marches de l'académie.

Étant notre seul nouveau cette année, tu auras la chance de bénéficier des lumières de notre meilleur élément : Niles !

Un blondinet pas très grand accourut et se plaça devant le directeur. Une écharpe lui barrait la poitrine : « Bras droit du directeur ».

– Miles, je te présente donc Niles Sparks. C'est lui qui m'a informé que ma voiture se trouvait devant la porte. Niles, ajouta-t-il en regardant le petit blond, voici Miles et je pense qu'il est le responsable de cette lamentable farce.

Niles tendit la main à Miles, le coude légèrement fléchi et les yeux écarquillés. On aurait dit qu'il s'entraînait à serrer la main tout seul devant son miroir. On trouve un Niles dans toutes les écoles. C'est le lèche-bottes, le bon élève, le rapporteur. Et Miles devait lui serrer la main ?

– Désolé, j'ai un rhume, marmonna-t-il.

Niles baissa le bras.

Le directeur Barkin fronça les sourcils.

– Bon, peu importe ! Quoi qu'il en soit, Niles va s'occuper de toi, Miles. Et tu as de la chance, il est comme mon fils. Mon fils, qui est aussi élève de l'académie, est également comme un fils pour moi.

Au loin, une vache meugla.

– Niles, conclut le directeur, conduis Miles à la salle 22. Mlle Shandy doit l'attendre.

Les deux garçons remontèrent le couloir.

– Chouette écharpe, fit remarquer Miles.

– Merci, répondit Niles avec un sourire.

FAIT N°1

La température interne moyenne d'une vache est de 39 degrés. Pourtant, elle n'a pas de fièvre ! C'est seulement sa température interne moyenne, comme nous l'avons dit plus haut !

FAIT N°2

Une vache laitière peut produire plus de 95 litres de lait par jour. Ça fait 400 bols de lait ! Ou 6 400 grandes cuillerées ! Ou 19 200 petites cuillerées (mais seulement 15 987 petites cuillerées australiennes – les petites cuillers sont un peu plus grandes en Australie). Ça fait beaucoup de lait !

FAIT N°3

Les vaches ont une vision panoramique à 360 degrés. Vous voulez vous approcher d'une vache sans qu'elle vous voie ? Désolé, vous n'y arriverez pas !

WAOUH !

IL FAUT QUE JE TE DEMANDE une chose, lança soudain Niles. Est-ce que c'est toi qui as garé sa voiture sur le perron ?

— Non, répondit Miles.

— Tant mieux, poursuivit Niles, parce que, si ça avait été le cas, je serais sûrement allé tout raconter au directeur.

— Je sais, fit Miles en soupirant.

— Je suis désolé d'avoir menti, déclara encore Niles, mais je pense qu'une mauvaise action est excusable si elle sert une bonne action.

— C'est une bonne action de me dénoncer au directeur ?

— Bien sûr ! Je suis son bras droit ! Il compte sur moi ! Tiens, voilà ta classe.

Il ouvrit une porte peinte en bleu.

— Et là, c'est le bureau de Mlle Shandy.

— Et ça, c'est la poignée de la porte, persifla Miles en montrant la poignée.

— Exactement ! s'exclama Niles.

Miles alla s'asseoir le plus loin possible de lui. Sauf que Niles le suivit et prit place à la rangée juste devant.

— Je suis ton guide, lui rappela-t-il. On ne doit pas s'éloigner l'un de l'autre.

— Génial, lâcha Miles.

— Niles est ton guide ? souffla une fille qui avait pris place à côté de Miles.

— Exactement ! s'exclama une nouvelle fois Niles. Miles, je te présente Holly Rash. Elle est assise à côté de toi.

Holly hocha la tête.

— Salut, comment tu as dit que tu t'appelais ?

— En fait, intervint Niles, c'est moi qui t'ai dit comment il s'appelait.

— Miles, répondit Miles.

— Miles et Niles, fit remarquer Holly. Vous n'avez pas peur qu'on vous confonde ?

— Aucun risque ! répondirent Miles et Niles en même temps.

Miles lança un regard noir à Niles, qui lui retourna un grand sourire.

– En tout cas, ajouta Holly à l'intention de Miles, si tu veux vraiment savoir ce qu'il faut savoir, fais-moi signe.

Miles se pencha vers elle.

– C'est qui le roi du canular ?

– Quoi ?

– Qui a amené la voiture du directeur sur le perron ?

– Ce n'est pas toi ?

– Ben non, assura Miles.

Holly haussa les épaules.

– Je le savais.

La cloche sonna. Une demi-seconde avant qu'elle s'arrête, le garçon qui ressemblait au directeur Barkin fit irruption dans la classe. Après un coup d'œil vers le bureau toujours vide de la prof, il alla s'asseoir à sa place. En passant devant Miles, il le cogna avec son cartable.

– Fais gaffe, nullos, râla-t-il comme si c'était la faute de Miles.

Puis il se laissa tomber sur une chaise.

– C'est qui ? chuchota Miles à Holly.

– Josh Barkin, le fils du directeur.

– Josh Barkin, le fils du directeur, répéta Niles.

– C'est le pire élève de l'école, ajouta Holly.

– Le pire, je ne sais pas, déclara Niles, mais c'est vrai qu'il lui arrive d'être assez méchant. Et puis il traite toujours tout le monde de nullos.

– Ce serait mieux si vous ne répondiez pas tous les deux à mes questions, fit observer Miles. Et ce serait encore mieux si c'était Holly qui s'en chargeait.

Niles aligna ses stylos devant lui.

– Le truc, avec Josh, reprit Holly, c'est qu'il respecte toujours le règlement. Il s'arrange pour faire ses coups par-derrière. Tout le monde le déteste. C'est un vrai faux jeton.

– C'est quand même notre délégué de classe, signala Niles. Et il sera sûrement notre directeur un jour, alors nous devons le respecter.

– Ce type est le délégué de classe ? questionna Miles, surpris.

– Exactement ! répondit Niles. M. Barkin aussi était toujours délégué de sa classe. Ainsi que son père et le père de son père. Les Barkin, délégués et directeurs de père en fils, c'est ce que dit toujours M. Barkin.

– Mais comment il se fait élire si tout le monde le déteste ?

Holly haussa les épaules.

– Il triche.

– Plus précisément, expliqua Niles, il a longtemps été le seul à se présenter parce qu'il menaçait de casser la figure à celui qui oserait proposer sa candidature contre lui. Depuis deux ans, Holly est la seule à avoir quand même le courage de le faire, mais elle a perdu à chaque fois.

– Tu as perdu contre lui ? s'exclama Miles.

– Deux fois, confirma Niles.

Miles secoua la tête.

– Comment c'est possible ?

– C'est le délégué de classe qui compte les bulletins, répondit Holly.

– C'est une règle stupide, déclara Miles.

– C'est le délégué de classe qui fait les règles, exposa Holly.

– C'est ridicule ! Pourquoi tu te présentes contre lui si tu es sûre de perdre ?

– Pour protester ! Ma candidature à elle seule dénonce l'injustice du système. Et puis on peut sécher des cours pour écrire notre discours.

Miles était impressionné.

– OÙ est la PROF ? demanda Stuart, assis à la droite de Miles. La cloche a sonné il y a TROIS minutes et elle n'est toujours PAS là ! C'est trop MARRANT !

Personne ne rit.

– Est-ce qu'on DOIT faire les cours NOUS-MÊMES ? insista Stuart.

À cet instant, Mlle Shandy entra.

– Pardonnez mon retard, lança-t-elle en posant un grand sac sur son bureau. Il y avait une voiture sur le perron de l'école et j'ai été obligée de passer par la porte de derrière.

– C'était DINGUE, cette voiture ! commenta Stuart.

– Merci pour ce commentaire très utile, Stuart, fit Mlle Shandy sans lever la tête.

Elle était occupée à noter où chaque élève était assis.

– J'espère que vous êtes tous satisfaits de la place que vous avez choisie ce matin, reprit-elle, car vous y resterez toute l'année. Sauf toi, Josh. J'aimerais que tu viennes au premier rang.

Josh eut l'air furieux, mais ça ne dura qu'un instant. Il se leva.

– Bien sûr, répondit-il avec un sourire. Je peux tout à fait venir au premier rang, mais je ne suis pas sûr que mon père, le directeur Barkin, voudrait que je me déplace. Dans notre famille, nous essayons de nous tenir à nos décisions, quoi qu'il arrive.

– Josh, devant, répéta fermement Mlle Shandy.

– Très bien, capitula Josh. Je vous obéis parce que vous êtes la prof, mais je vais devoir raconter à mon père que vous m'avez obligé à changer de place alors que je m'assois toujours au dernier rang.

Le sourire de Mlle Shandy se crispa légèrement.

– Josh ! Tout de suite.

– Mais…

– Pas de discussion.

– Je ne discute pas, discuta Josh, mais en tant que délégué de classe…

– Josh.

Josh ramassa son cartable.

– Je pourrais aussi dire à mon père que vous étiez en retard, continua-t-il. Vous risquez de vous faire renvoyer. Il est le directeur de cette académie.

– Je sais parfaitement que ton père est le directeur, riposta Mlle Shandy, de plus en plus tendue.

– C'est votre patron.

Mlle Shandy se tourna vers le tableau pour écrire son nom.

– Pour ceux qui ne me connaissent pas, je m'appelle Mlle Shandy.

Alors qu'elle en était au « Y », Josh heurta la tête de Miles avec son cartable et alla s'asseoir au premier rang.

À L'HEURE DU DÉJEUNER, Niles guida Miles jusqu'à la cantine.

— Là, ce sont les plateaux ; là, la nourriture et, là, la dame qui nous sert.

— Je vois, répondit Miles.

— Et là, il y a les tables. Tu ne sais sans doute pas où t'asseoir puisque c'est ton premier jour, alors tu devrais rester avec moi.

Miles décida qu'il était au contraire très important – presque vital – pour lui de s'asseoir le plus loin possible de Niles. Il posa sur son plateau de la soupe à la tomate, de la dinde, des macaronis au fromage et une brique de lait. Niles l'imita.

— Ça a l'air délicieux, madame Conlon, lança-t-il à la dame qui les servait. Je vous présente un nouvel élève à l'académie des sciences et des lettres de Roupilleville. Il s'appelle Miles.

Mme Conlon regarda autour d'elle et se pencha imperceptiblement vers eux.

— Un ami de Niles peut prendre deux briques de lait, murmura-t-elle en posant une seconde brique sur le plateau de Miles.

Du rab de lait ! Miles n'aurait pas cru qu'être ami avec Niles pouvait présenter des avantages. Il se retourna pour aller s'asseoir et se retrouva face à Josh Barkin.

– Mon père pense que c'est toi qui as mis sa voiture sur le perron, nullos, gronda ce dernier.

– Je sais, répondit Miles.

– Cette voiture sera à moi, un jour.

– Oui.

– Ce qui veut dire que c'est *ma* voiture que tu as mise sur le perron, nullos.

– Ce n'est pas moi.

– Tu as collé la honte à mon père. Tu as sali le nom des Barkin, *mon* nom. Je vais te casser la figure pour laver mon honneur et venger ma future voiture. Du coup, je vais sûrement te casser deux fois la figure.

– Je ne suis pas sûr que ton père serait d'accord, objecta Miles.

– Je ne le ferai pas à l'école, répliqua Josh. C'est interdit par le règlement et je suis toujours le règlement parce que je serai le directeur ici, un de ces jours ! Mais tu sais quoi, Miles Murphy ? Aucun règlement ne m'interdit de te casser la figure devant chez toi ou derrière la station-service ou dans un champ. Je réfléchirai à d'autres endroits, là où je ne risque pas de me faire prendre. Personne n'en saura jamais rien. Sauf toi et moi.

Miles soupira. Il n'avait pas le choix. Il renversa brusquement son plateau sur lui et se retrouva couvert de soupe à la tomate, de dinde et de macaronis au fromage.

– Qu'est-ce que... balbutia Josh.

– Pourquoi tu as fait ça ? cria Miles. Je ne t'ai rien fait !

Dans la cantine, tout le monde tourna la tête vers eux. Montrant Miles du doigt, ils se mirent à rire. En quelques secondes, ce fut un raffut incroyable.

– Que se passe-t-il, ici ?

Mlle Shandy, les mains sur les hanches, contemplait les vêtements tachés de Miles.

– Josh a renversé mon plateau sur moi, se plaignit Miles.

Mlle Shandy fixa Josh d'un air sévère.

– C'est pas vrai, se défendit Josh. Ce nullos s'est fait ça tout seul !

– Pourquoi j'aurais fait un truc pareil ? protesta Miles.

– J'en sais rien ! Parce que t'es cinglé ! Mademoiselle Shandy, vous savez que je respecte toujours le règlement !

Le regard de la professeure se déplaça de Josh à Miles.

– J'ai tout vu, moi, mademoiselle Shandy, intervint une voix.

C'était Niles.

– Merci, Niles. Alors donne-nous ta version des faits, le pressa la professeure.

– Oui, Niles, dis tout à la prof ! s'écria Josh.

– Josh est allé vers Miles et a renversé son plateau, fit Niles. Exactement comme l'a dit Miles.

Josh n'en croyait pas ses oreilles.

Miles non plus.

Mlle Shandy sourit. Elle attendait ce moment depuis longtemps (comme beaucoup d'autres professeurs de l'école, d'ailleurs).

– Eh bien, Josh, je vais te demander de me suivre jusqu'au bureau du directeur.

Tous les regards restèrent fixés sur eux jusqu'à ce qu'ils aient franchi la porte.

– Pourquoi tu as fait ça ? demanda Miles à Niles.

– Cet été, Josh m'a obligé à avaler un caillou. Deux fois.

– Eh bien… merci.

Niles se baissa pour ramasser les briques de lait.

– Tiens. Tu peux les prendre. Elles sont intactes.

JUDY MURPHY déposa une tranche d'aubergine dans l'assiette de Miles. Il détestait les aubergines mais, ce soir-là, il ne prêtait aucune attention à ce qu'il mangeait. Il avait des choses beaucoup plus importantes en tête.

— Comment s'est passée ta journée ? lui demanda sa mère.

— Bien, répondit-il.

– Comment s'est passée ta journée, mon chéri ?

– C'était horrible, aboya le directeur Barkin à sa femme. Monstrueusement catastrophique. Un cauchemar.

Mme Barkin secoua la tête.

– C'est à Josh que je posais la question.

– Oh...

Josh tripotait son steak du bout de sa fourchette.

– ... Pareil que papa.

– Ah bon ! s'exclama Mme Barkin d'un ton inquiet. Que t'est-il arrivé ?

Le directeur et son fils répondirent d'une même voix :

– Miles Murphy.

✦ ✦ ✦

– Ta professeure principale est gentille ? interrogea Mme Murphy.

– Ça va, répondit Miles en tripotant son aubergine du bout de sa fourchette.

– Elle s'appelle bien Mlle Shandy, c'est ça ? Tu l'as trouvée intéressante ?

– Ça va, répondit Miles.

Sa mère lui posait trop de questions. Il avait besoin de se concentrer. Et il avait un truc pour les situations de ce genre.

– Et toi, maman, comment s'est passée ta journée ? fit-il.

– Très bien, Miles, mais j'aimerais vraiment savoir com…

– Tu as rencontré des gens intéressants ?

– Eh bien, pas particulièrement.

– Et qu'est-ce que tu as mangé ?

– Un sandwich au poulet et de la salade. Mais parle-moi plutôt du directeur. Il m'a semblé l'apercevoir sur la pelouse quand je t'ai déposé ce matin. Comment est-il ?

Miles n'avait surtout pas envie de parler du directeur Barkin.

– Et tes clients, maman, ils étaient sympathiques ?

La mère de Miles travaillait à la poste et les clients constituaient un sujet qui la faisait partir au quart de tour. Elle les trouvait toujours tellement agaçants !

Elle leva les yeux au ciel.

– Je ne sais même pas par où commencer, déclara-t-elle en poussant un soupir. Il y avait cet homme en costume, l'oreille collée à son téléphone, qui essayait de passer devant les autres ! Tu te rends compte ? Alors je lui ai dit : « Excusez-moi, monsieur, mais voudriez-vous retourner à votre place dans la file ou peut-être même pourriez-vous aller téléphoner dehors. » Il m'a regardée, mais je suis sûre qu'il n'écoutait rien de ce que je lui disais ! Alors j'ai parlé plus fort et il n'a pas bougé. Il a fallu que...

Miles sourit à la tranche d'aubergine dans son assiette. Ça marchait à tous les coups.

– Ma journée à moi a été très intéressante, annonça Mme Barkin. Au marché, j'ai...

– Je n'avais pas terminé ! l'interrompit le directeur. Tu ne veux pas savoir comment j'ai descendu la voiture du perron ? Et comment Josh et moi sommes rentrés de l'académie ?

– Ah, c'est vrai, je n'y avais pas pensé, répondit Mme Barkin. Raconte !

– J'ai d'abord appelé une entreprise de remorquage.

– Ils sont venus ?

– Attends, j'y arrive. Non, ils ne sont pas venus.

– Ô mon Dieu !

– Alors j'ai appelé la police et je leur ai demandé d'envoyer un hélicoptère.

– Ils l'ont fait ?

– Attends, j'allais te le dire. Non, ils n'ont pas voulu.

– Quel dommage !

– C'est alors que j'ai eu une idée géniale. J'ai appelé la casse et j'ai demandé à celui qui conduit la grosse machine avec l'aimant géant de venir à l'académie.

– Quelle excellente idée, mon chéri. Et alors, qu'a-t-il répondu ?

– Non.

– Oh ! Zut !

– Maman, laisse papa finir son histoire.

– Désolée.

– J'ai fini par appeler Bob pour lui demander de venir la chercher avec la fourche mécanique de son tracteur.

– Merveilleux ! Pourquoi n'as-tu pas commencé par là ?

– Parce que Bob est une vraie commère ! Je lui ai fait jurer de ne jamais rien raconter à mon père. Quelle tache sur le blason des Barkin !

Le téléphone sonna. Mme Barkin alla décrocher.

– Qui c'est ? cria son mari.

– Ton père ! Il est très fâché au sujet de la voiture et du tracteur de Bob !

– Comment l'a-t-il su ? gronda le directeur.

– Bob lui a raconté !

– C'est comme ça que j'ai rencontré Deb, qui est vraiment très chouette, continuait la mère de Miles. Je pense que nous allons bien nous entendre. Nous travaillons côte à côte et elle m'a beaucoup aidée aujourd'hui. Je pense l'inviter à dîner, un soir. Elle aime les randonnées en forêt.

– Super, approuva Miles en souriant.

– Et toi, mon chéri ? Tu t'es fait des amis aujourd'hui ?

– Non.

– Non ? Il n'y a même pas quelqu'un avec qui tu as eu envie de discuter ?

– Non.

Le téléphone sonna.

– Allô ? Oui, c'est moi. Oh, merci, c'est vraiment très gentil. Tu as une très jolie voix, toi aussi. Attends, je te le passe.

– C'est qui ? demanda Miles.

– Ton nouvel ami de l'école.

Miles posa son front sur la table.

Chez lui, le directeur Barkin en faisait autant.

Mme Barkin avait posé le récepteur près de l'oreille de son mari.

– … C'EST UNE HONTE ! UN DÉSHONNEUR ! TU AS RIDICULISÉ LE NOM DES BARKIN ! NOUS SOMMES DES CLOWNS AUX YEUX DE TOUTE LA COMMUNAUTÉ DE ROUPILLEVILLE ! TU SAIS DEPUIS COMBIEN DE TEMPS NOTRE FAMILLE DIRIGE L'ACADÉMIE DES SCIENCES ET DES LETTRES DE CETTE VILLE ? DEPUIS QUATRE GÉNÉRATIONS ! ET COMBIEN DE TES ANCÊTRES ONT RETROUVÉ LEUR VOITURE SUR LE PERRON DE L'ÉCOLE ?

Le directeur Barkin ne dit rien.

– ALORS, TU LE SAIS ?

– Zéro, répondit le directeur Barkin d'une toute petite voix.

– PARFAITEMENT ! ZÉRO ! JUSQU'À AUJOURD'HUI, AUCUN DIRECTEUR N'AVAIT FAIT RENTRER LES ÉLÈVES À TRAVERS SA VOITURE ! ET CERISE SUR LE GÂTEAU : BOB DÉPLACE TA VOITURE AVEC LA FOURCHE MÉCANIQUE DE SON TRACTEUR ! ON DIRAIT QU'UN PEU TROP DE SANG DE TON GRAND-PÈRE JIMMY COULE DANS TES VEINES !

– Non, père, je n'ai jamais annulé un jour d'école, je...

– PEUT-ÊTRE QUE J'AURAIS DÛ NOMMER TON FRÈRE À TA PLACE ! PEUT-ÊTRE QUE BOB AURAIT ÉTÉ MEILLEUR QUE TOI À CE POSTE !

– Non, sûrement pas, grogna le directeur Barkin.

– Et pourquoi pas ! protesta Bob.

Le directeur Barkin releva un peu la tête.

– Bob ? Qu'est-ce que tu fais là ?

– J'AI INCLUS TON FRÈRE DANS LA CONVERSATION ! beugla le père du directeur Barkin, lui-même ancien directeur Barkin.

– Salut, frérot, lança Bob. Désolé d'avoir tout balancé à p'pa, mais il m'a demandé, alors...

– Tu avais pourtant juré sur le sacro-saint honneur des Barkin, justement !

– TU OSES PARLER DE L'HONNEUR DES BARKIN, tempêta l'ancien directeur Barkin. TU AS

BAFOUÉ CET HONNEUR AUJOURD'HUI. C'EST LA PIRE TACHE QUI AIT JAMAIS SOUILLÉ L'HONNEUR DES BARKIN DEPUIS QUE TON GRAND-PÈRE JIMMY... AH, JE NE VEUX MÊME PAS EN PARLER ! MAIS, EN TOUT CAS, JE VAIS TE DIRE UNE CHOSE : TU AS INTÉRÊT À DÉCOUVRIR QUI A OSÉ TE JOUER CE TOUR, BARRY, ET À LE PUNIR DE FAÇON EXEMPLAIRE !

– Oui, papa, acquiesça le directeur.

– EMBRASSE JOSH ET SHARON DE MA PART.

Sur ces mots, le père du directeur raccrocha.

– Je n'arrive pas à croire que cette petite fouine de Bob m'ait dénoncé, geignit le directeur.

– Je suis toujours là, Barry ! intervint Bob.

Le directeur raccrocha à son tour le combiné. Son visage était écarlate.

– Je vais détruire ce Miles Murphy, siffla-t-il, les mâchoires crispées.

Judy Murphy posa le téléphone à côté de la tête de Miles, toujours appuyée sur la table.

– Salut, Miles, fit Niles. C'est moi, Niles, ton nouveau camarade. Que tu as rencontré à l'école aujourd'hui. Tu te rappelles, avec l'écharpe ? Le bras droit du directeur ! On était assis côte à côte toute la journée.

– Oui, lâcha Miles. Et tu m'as même suivi jusque chez moi.

– Exactement. Je t'ai raccompagné. Sauf que tu courais et que je n'arrivais pas à te rattraper à cause de mes allergies.

– Pourquoi tu appelles ?

– En tant que guide et tuteur, j'ai le devoir de m'assurer que ta première journée s'est bien passée. Tu dois répondre à un petit questionnaire.

– C'est dans le règlement, ça ?

– Exactement ! Enfin, en réalité, c'est moi qui ai rédigé le règlement concernant les guides pour les nouveaux. Mais ne t'en fais pas, ça sera rapide et amusant. Nous aurons fini avant le dîner.

– Je suis en train de dîner.

– Parfait, tu vas pouvoir t'y remettre très vite. Tu es prêt ?

– Vas-y.

– Attends une seconde, il faut que je remette mon écharpe. Je dois toujours l'avoir lors d'une démarche officielle. (Grésillements dans le téléphone.) Voilà, je suis à toi. Première question : Notez votre premier jour à l'académie des sciences et des lettres de Roupilleville sur une échelle de six à dix.

– Euh… six ?

– Parfait. Question suivante : Pensez-vous que certains de vos camarades pourraient devenir de véritables amis ?

– Euh… non.

– Nous y reviendrons. Question trois : Avez-vous garé la voiture du directeur Barkin sur le perron de l'école ?

– Au revoir, Niles.

– Attends ! On n'a pas fini !

– Au revoir, Niles.

– Dis à ta mère que je la salue, cria Niles.

Miles raccrocha et reposa le front sur la table. Il alla même jusqu'à fermer les yeux.

Pour la soixante-septième fois de la journée, il regretta de ne pas être celui qui avait garé la voiture du directeur sur le perron. Et pour la soixante-treizième, il se demanda qui l'avait fait. S'il ne devenait pas très vite le roi du canular de l'école, Niles pourrait finalement être son seul ami.

Il devait réfléchir à un plan. Un truc énorme.

– Je peux sortir de table ? demanda-t-il à sa mère.

Il se leva sans attendre la réponse et monta dans sa chambre. Il prit son carnet de notes et commença à écrire :

LES INVITATIONS firent leur apparition à l'école dix jours plus tard.

Tout le monde ne parlait plus que de ça. Des petits groupes d'élèves chuchotaient dans les coins. D'autres, restés seuls, leur jetaient des regards furtifs. Stuart exécuta une petite danse près des robinets en chantant :

— J'ai eu une invitation à l'anniversaire de Cody Burr-Tyler !

Quatorze têtes se tournèrent vers lui.

— Chut !

Deux filles, près du casier de Miles, riaient.

— Je crois que c'est le capitaine de l'équipe de foot de Sainte-Perpète. Il joue de la guitare électrique.

— Oh oui, il est trop mignon !

Miles s'autorisa un petit sourire. Cody Burr-Tyler n'était pas mignon du tout. En réalité, Cody Burr-Tyler n'existait pas.

Cette matinée couronnait une semaine de travail acharné durant laquelle Miles avait noirci pas moins de six pages de son carnet de notes. C'était le plus beau plan qu'il avait jamais concocté. La voiture sur le perron de l'école ? Ridicule ! Miles avait créé quelqu'un de toutes pièces ! Cody Burr-Tyler, dont la fête d'anniversaire serait la fête la plus cool et la plus grandiose jamais donnée à Roupilleville ! Il avait écrit les invitations — pas plus de dix car (et c'était là que ce plan était génial) la fête était censée être secrète. Déjà, les heureux élus invitaient leurs amis à voix basse. Les invitations ne circulaient que depuis onze minutes et on ne parlait plus que de l'anniversaire de Cody Burr-Tyler. Le jour de la fête, Miles révélerait que Cody n'existait pas et que toute l'école avait été victime d'une bonne farce ! Le mieux, c'est qu'il repartirait avec tous les cadeaux !

Ainsi, tout le monde à l'académie des sciences et des lettres de Roupilleville le déclarerait le plus grand roi du canular que la ville ait jamais connu. Il redeviendrait une légende : sa notoriété serait plus grande que dans son ancienne école. Personne n'avait encore réussi un coup à l'échelle de toute une école. Les bras croisés, il s'adossa à son casier. Ce serait la gloire !

– Bonjour, mon ami !

Miles sursauta et se retourna. Niles.

– Puisque nous sommes amis à l'école et sûrement un jour dans la vie, est-ce que je peux te confier un secret ?

– Vas-y, répondit Miles.

– C'est vraiment un gros secret, hein ? Je pourrais avoir des problèmes, tu sais. Des gros problèmes.

– Vas-y, répéta Miles avec patience.

Niles se pencha en avant.

– J'ai été invité à l'anniversaire de Cody Burr-Tyler.

– C'est qui ? questionna Miles.

– Le type le plus cool de Roupilleville ! s'exclama Niles. Il est dans l'équipe de foot et il joue dans un groupe et…

Niles regarda l'invitation.

– … et il aime dessiner des éclairs.

– Wahou, fit Miles. Il a l'air vraiment cool. Il est dans notre école ?

– Non, à Sainte-Perpète, je crois. En tout cas…

Niles se pencha en avant et chuchota :

– Tu veux venir avec moi ?

– Je n'ai pas été invité, fit remarquer Miles.

– C'est pas grave ! Enfin, si, parce que je ne suis pas censé en parler, mais tu sais ce que je pense : une mauvaise action est excusable si elle sert une bonne action.

– C'est quoi la bonne action, là ?

– Grâce à cette fête, on devient copains de fête et, en plus, je t'introduis dans la haute société de Roupilleville ! Sans compter que ça fait un cadeau en plus à Cody.

Miles fit semblant de réfléchir.

– Ça marche, finit-il par répondre.

– Génial ! Tiens !

Niles tendit l'invitation à Miles, qui en profita pour admirer son œuvre.

Alors que la première sonnerie retentissait, une silhouette apparut, non loin des casiers : Barkin.

– Toi, rentre ta chemise ! tonna-t-il. Toi, crache ce chewing-gum ! Toi, arrête cette danse ridicule ! Vous, là, arrêtez de chuchoter ! Pourquoi est-ce que tout le monde chuchote, ce matin ?

Miles ferma son casier et se dirigea tranquillement vers sa classe.

– Toi, là ! Miles Murphy !

Miles s'immobilisa.

– Oui, monsieur le directeur ?

– Est-ce que c'est toi qui as garé ma voiture sur les marches du perron le jour de la rentrée ?

– Non, monsieur le directeur, répondit Miles en poussant un soupir.

– Ça te faciliterait la vie si tu te décidais à avouer, mon garçon, gronda le directeur. Plus tu attends, plus la punition sera sévère ! Qu'est-ce que tu as dans la main ?

Miles cacha l'invitation derrière son dos.

– Rien, monsieur le directeur.

– Aaahhh ! Maintenant, je suis sûr que ce n'est pas rien ! C'est quelque chose que tu ne veux pas que je voie !

– C'est juste une feuille de papier, monsieur.

– JE SAIS QUE C'EST UNE FEUILLE DE PAPIER. Mais je sais aussi que ce n'est pas juste une feuille de papier. Sinon, tu ne l'aurais pas cachée derrière ton dos ! Eh oui, c'est un vieux truc de directeur, Miles Murphy : quand un élève cache quelque chose, c'est que c'est louche !

– Hein ? fit Miles.

– Pas de discussion ! Donne-moi cette feuille de papier.

Miles ne bougea pas.

– Qu'est-ce que c'est ? insista le directeur Barkin. Le plan de ta prochaine farce lamentable ?

Miles se força à rester calme.

– Non, répondit-il.

– C'est juste une invitation à une fête, monsieur le directeur, intervint Niles.

– Une invitation ?

Les narines de M. Barkin se dilatèrent.

Niles se pencha vers Miles.

– Montre-la-lui.

Miles n'avait plus le choix. Il tendit l'invitation au directeur. Ce dernier sortit ses lunettes de sa poche et se mit à lire.

– Intéressant, marmonna-t-il. Très intéressant. Cody Burr-Tyler, hein ?

Il posa de nouveau les yeux sur Miles, sourcils froncés.

– Bien, bien, bien, grommela-t-il tout en pliant l'invitation en quatre.

Miles la vit disparaître dans sa poche. Le directeur le fixa pendant quatre longues secondes, puis désigna une pancarte collée sur le tableau d'affichage :

MESSAGE DU DIRECTEUR BARKIN :
VA EN COURS, MILES MURPHY

Miles soupira de soulagement et tourna les talons, rouge comme une tomate. Encore sous le choc, il remonta le couloir dans la mauvaise direction.

– Pas par là, Miles, le rappela Niles.

Miles suivit Niles vers la salle 22.

– Miles ! cria M. Barkin dans son dos. N'oublie pas : je t'ai à l'œil.

Il désignait une autre pancarte sur le mur.

MESSAGE DU DIRECTEUR BARKIN :
JE T'AI À L'ŒIL, MILES MURPHY

INCROYABLE ! Miles n'aurait su dire combien d'élèves de l'académie des sciences et des lettres de Roupilleville étaient présents, mais il aurait parié pour quelque chose comme… tous ! Le parc était bondé !

Miles était arrivé deux heures plus tôt avec un petit chariot, qu'il avait garée près d'une table de pique-nique à deux pas du kiosque à musique. Sur la table, il avait scotché une feuille sur laquelle il avait écrit : « Nourriture et boissons ». Sur le chariot, une autre feuille indiquait : « Cadeaux ». Il avait posé sur une autre table un gâteau qu'il avait fait lui-même avec un glaçage rose et des lettres vertes annonçant : « Bon anniversaire, Cody Burr-Tyler » – il allait piéger tout le monde, alors il pouvait bien se fendre d'un bon gâteau.

Puis il était parti. Il ne voulait surtout pas être le premier à la fête de Cody Burr-Tyler. Ça n'aurait pas été cool du tout.

Quand il était revenu, la table débordait de chips, de gâteaux au chocolat, de biscuits de toutes les couleurs et de bonbons. Il y avait aussi deux, non, trois bouteilles de soda et des glaces. Et son chariot débordait de cadeaux bariolés. Des rouges, des bleus, des avec des ballons dessinés dessus (c'était un peu bébé pour Cody Burr-Tyler !). Il y en avait des plats, des ronds… l'un d'entre eux était manifestement un télescope. Un télescope !

— Le mien, c'est CELUI-LÀ, déclara Stuart en montrant des deux mains un petit paquet qui prenait la poudre d'escampette. Eh ! Reviens !

Miles se dit aussitôt qu'il relâcherait le cadeau de Stuart dans un champ dès que possible. Il déposa son cadeau (une boîte vide enveloppée de papier argenté) sur les autres et se servit une part de gâteau. Deux garçons de quatrième discutaient près d'un plat de beignets.

— Tu as vu Cody Burr-Tyler ? demanda celui qui avait un chapeau rouge.

— Ouais, affirma celui qui ne portait pas de chapeau parce qu'il était sûr d'être ridicule avec un chapeau, je l'ai salué de loin en arrivant. Je ne sais pas s'il m'a vu. Il jouait au ballon avec d'autres types. Il était vraiment super fort.

— Cool ! Tout à l'heure, je l'ai entendu raconter une super-blague ! On a échangé notre poignée de main secrète et il m'a dit qu'on se recroiserait plus tard.

– Cool. Tu sais, je suis presque sûr qu'il m'a vu quand je lui ai fait signe.

Miles se dirigea vers Holly Rash, adossée à un arbre.

– Salut, fit-il.

– Salut, répondit Holly. Tu ne devrais pas manger trop de gâteau, il est vraiment pas terrible. Trop sec !

– Quoi ? Je le trouve bon, moi !

– Tu es fou, il est dégueu !

– T'es peut-être tombée sur une mauvaise part. Tiens, goûte le mien.

– Ah non ! Plus jamais. C'est le gâteau le plus dégueu que j'aie jamais mangé. Et tu as remarqué l'inscription ? C'était marqué « Bon Niversaire ! ».

– Mais non.

– Ce gâteau est vraiment lamentable.

– Oublie le gâteau, coupa Miles. Comment tu trouves la fête ? Pas mal, non ?

– Pas mal. À vrai dire, je m'attendais à mieux de Cody Burr-Tyler. Enfin, je ne le connais pas, mais tout le monde parle de lui comme si c'était Cary Grant ou Marlon Brando !

– C'est qui ?

– Des stars de cinéma. De dans le temps.

– Connais pas.

Holly soupira.

– C'est quoi, un NIVERSAIRE ? cria Stuart de la table de pique-nique.

Holly secoua la tête.

– Cette fête manque décidément d'un truc.

– Bonjour, mon ami, bonjour, Holly.

Des jambes maigrichonnes surmontées d'un énorme paquet vacillaient devant eux.

– C'est moi, Niles !

– On sait, répondirent en chœur Miles et Holly.

– Je n'étais pas sûr que vous pouviez me voir derrière cette boîte.

Ils ne pouvaient effectivement pas.

– Sacré cadeau ! observa Holly.

– Merci ! J'espère qu'il plaira à Cody Burr-Tyler. Je suis en retard parce que j'ai pris un chemin qui ne m'obligeait pas à traverser des rues.

– Et toi, Holly, qu'est-ce que tu as apporté ? voulut savoir Miles.

– Rien. Je ne vais quand même pas acheter un cadeau à un type que je ne connais même pas.

– Quoi ? s'exclama Niles. Tu ne voulais pas féliciter Cody Burr-Tyler d'être né ? Moi, je voulais aussi le remercier de m'avoir invité à cette fête super secrète !

Il posa son paquet et découvrit pour la première fois la foule qui l'entourait.

– Oh ! fit-il. On dirait que certains sont venus accompagnés.

Il eut l'air un peu déçu, mais haussa les épaules.

– Tant mieux ! Ça fera plus de cadeaux pour Cody Burr-Tyler.

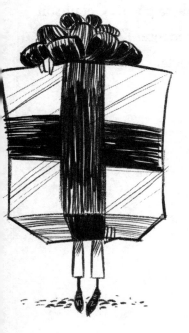

Il réajusta son écharpe « Bras droit du directeur » et reprit son paquet.

– Je vais aller déposer ça et prendre un peu de gâteau.

Miles regarda sa montre : 13 h 26. On y était presque. Il s'excusa et partit à la recherche d'un coin tranquille pour se préparer. Il croisa deux filles qu'il n'avait jamais vues.

– Tu veux finir mon gâteau ?

– Non, j'en ai pris tout à l'heure et il est vraiment dégueu. Trop sec.

– Tu penses que Cody va jouer de la guitare, tout à l'heure ?

– J'espère. Tu savais qu'il arrive à se casser une bouteille de soda sur la tête ?

– C'est vrai ?

– Oui, et il le fait avec le soda dedans !

– Wouah !

Miles adorait ça. Cody Burr-Tyler était devenu réel ! Et le meilleur restait à venir.

Il alla s'asseoir sur une balançoire un peu à l'écart et sortit une feuille de papier froissée de sa poche. C'était son discours. Il l'avait écrit la nuit précédente. L'alarme de sa montre bipa. Au loin, une vache meugla.

On y était !

Bonjour à tous ! Je m'appelle Miles Murphy et je

viens d'arriver à Roupilleville. J'aimerais souhaiter un

très bon anniversaire à Cody Burr-Tyler. Enfin,

j'aimerais mais je ne peux pas. Parce que, en réalité,

Cody Burr-Tyler n'existe pas. Je l'ai inventé de

toutes pièces. Eh oui, je suis désolé de vous annoncer

que cette fête n'est pas en son honneur. Mais nous

avons quand même quelque chose à célébrer : le

meilleur canular que Roupilleville ait jamais connu !

[DESCENDRE LES MARCHES DU KIOSQUE.] Un

canular tellement plus génial qu'une voiture sur un

perron ! [PRENDRE LA POIGNÉE DU CHARIOT.] Je

n'ai rien d'autre à dire que merci pour les cadeaux et

savourez le gâteau ! [PARTIR AVEC LES CADEAUX.]

MILES SE TENAIT près de son chariot remplie de paquets. Ça allait être grandiose ! Il fit tinter une petite cuiller sur un verre pour obtenir l'attention des invités. Tout le monde se tourna vers lui.

– Eh, c'est le NOUVEAU, commenta Stuart. Il fait tinter une PETITE CUILLER sur un verre. Pourquoi il fait tinter une PETITE CUILLER sur un verre ?

Sous le regard des convives, Miles monta lentement la volée de marches qui menait au kiosque à musique. Il sortit son discours de sa poche et s'éclaircit la gorge.

– Bonjour à tous ! Je m'appelle Miles Murphy et je viens d'arriver à Roupilleville. J'aimerais souhaiter un très bon anniversaire à Cody Burr-Tyler.

À cet instant, une voiture se gara à quelques pas en klaxonnant. La portière s'ouvrit et le directeur Barkin en jaillit comme un diable de sa boîte. Plus écarlate que jamais, il agita les bras !

– Arrêtez tout ! Arrêtez ce garçon !

Un murmure gêné parcourut l'assistance.

— Miles Murphy ! lança le directeur en se dirigeant vers le kiosque. Tout est fini ! Tu es démasqué !

Miles descendit les marches du kiosque. La foule retenait son souffle. Holly avait un petit sourire. Niles réajusta son écharpe. M. Barkin se tourna vers les élèves.

Quand on prévoit un canular de cette ampleur, il faut également prévoir les imprévus. Et Miles était un professionnel du canular. Dans son carnet de notes, il avait une liste de « désastres possibles », parmi lesquels « ouragan », « attaque d'écureuils » et « se faire prendre la main dans le sac par un adulte ». Le directeur Barkin avait confisqué l'invitation de Miles, et Miles savait qu'il courait le risque, même minime, que le directeur compromette son plan génial. Sa porte de sortie : prendre la tangente avec les cadeaux. Il saisit la poignée du chariot.

— Mes chers élèves, poursuivit le directeur en sortant une feuille de sa poche.

« Qu'est-ce que c'est que ça ? se demanda Miles. Une liste de punitions ? Un avis d'expulsion ? Un mandat d'arrêt ? » Non, Miles distinguait des guitares et des éclairs, c'était l'invitation que le directeur lui avait confisquée.

— Mes chers élèves, quand Cody Burr-Tyler m'a personnellement invité à cette fête, j'ai d'abord été étonné. Mais je n'aurais pas dû. Cody a toujours respecté ses aînés et, même si je ne suis pas son directeur – Cody, me semble-t-il, est inscrit à Sainte-Perpète, où il brille par son intelligence, ses talents de footballeur – et, même si je ne suis pas moi-même un grand adepte de musique contemporaine, son génie du rock...

Tout en parlant, le directeur Barkin fit comme s'il tapait sur une batterie.

Miles n'écoutait plus. Il venait de comprendre qu'aucun désastre ne s'était abattu sur lui. Au contraire. Il lâcha le chariot et reporta son attention sur le directeur, qui continuait son discours.

– ... comme je le disais, je suppose que Cody m'a invité car je suis un pilier de Roupilleville. Et c'est la raison de ma présence. Cody mérite mieux que quelques mots bafouillés par un nouveau qui le connaît à peine et qui a sans doute garé ma voiture sur le perron de l'école le jour de la rentrée.

Quelque chose émit un sifflement strident.

– Désolé ! s'exclama Stuart. C'est mon CADEAU.

– Donc, reprit le directeur, toute la famille Barkin se joint à moi pour te souhaiter un merveilleux...

Il s'interrompit pour jeter un œil à l'invitation.

– ... treizième anniversaire ! Mon fils, Josh, te prie d'excuser son absence. Il a dû rester à la maison pour l'anniversaire de sa mère. Sa mère te présente également ses excuses, c'était son anniversaire. Oh, que d'anniversaires aujourd'hui ! Mais je n'aurais raté cette fête pour rien au monde ! Et regardez-moi ce magnifique gâteau ! Quelqu'un peut-il m'en faire passer une part ?

Niles se précipita pour servir une énorme part au directeur.

– À Cody Burr-Tyler ! lança le directeur en brandissant sa cuiller.

– À Cody Burr-Tyler ! répondirent les élèves en écho.

Le directeur Barkin mâchouilla son gâteau et claqua la langue.

– Pardonnez-moi, mais ce gâteau est un peu sec. Quelqu'un pourrait-il me donner un verre de jus d'orange, que je puisse terminer mon discours ?

Mais la foule, qui en avait assez d'entendre le directeur parler, se mit à scander :

– Co-dy ! Co-dy ! Co-dy !

Le directeur, la bouche pleine et emporté par l'ambiance, se joignit à eux :

– Co-dy ! Co-dy ! Co-dy !

Il descendit les marches en frappant dans ses mains.

– Co-dy ! Co-dy ! Co-dy !

Tous les regards étaient fixés sur la scène. Miles lissa son T-shirt. C'était à lui de jouer. Le moment était parfait.

Il se dirigea vers le kiosque.

Le principal et les élèves criaient.

Le soleil brillait.

Un accord de guitare électrique résonna dans le parc.

La foule s'écarta pour laisser le passage à un garçon vêtu d'un maillot et d'un casque de football américain. Il dépassa Miles et gravit les marches du kiosque en deux bonds. Il portait une guitare en bandoulière. Sur son maillot, tout le monde pouvait lire : « Burr-Tyler 1 ».

–SALUUUUUT LES ROUPILLEURS ! lança le garçon. Bienvenue à mon anniversaire !

Nouvel accord de guitare.

Miles ferma les yeux et les rouvrit. C'était quoi, ça ? Cody Burr-Tyler, qui n'existait pas puisqu'il l'avait lui-même inventé, se tenait devant lui.

Et le pire de tout, c'est qu'il était cool !

Dans son carnet, Miles avait prévu beaucoup de « désastres possibles » : « tornade », « attaque d'oiseaux », « empoisonnement alimentaire »… mais rien, absolument rien du genre « le personnage que vous avez inventé prend vie sous vos yeux et jette des ballons de foot dans la foule ».

Et c'était bien dommage, parce que c'est exactement ce qui était en train de se produire.

Les élèves essayaient d'attraper les ballons, tous signés par Cody Burr-Tyler. Le directeur Barkin, surexcité, profitait de sa taille pour les saisir au vol.

– Je suis démarqué, je suis démarqué ! criait-il.

Cody renversa son seau de ballons pour montrer qu'il était vide. Les élèves se calmèrent en râlant.

– Hé, les amis ! C'était super cool ! Mais je voudrais être sérieux une seconde. Merci à tous pour cette fête ! La plus grande fête de l'année ! Monsieur Barkin, merci pour votre émouvant discours. Je regrette de ne pas être votre élève !

Barkin applaudit. Tout seul.

– Et à vous tous, reprit Cody, je voudrais dire : amusez-vous, éclatez-vous et merci pour les cadeaux !

Un accord de guitare ponctua sa déclaration.

Miles secoua la tête. Cody Burr-Tyler ne touchait même pas son instrument !

Après avoir adressé un geste triomphal à la foule, qui l'acclama, il sauta par-dessus la rambarde du kiosque.

Les cris et les applaudissements redoublèrent.

– Salut, tout le monde ! Et merci encore !

Cody Burr-Tyler prit la poignée du chariot des mains de Miles.

– Merci aussi à toi, p'tit gars, souffla-t-il.

Puis, sous le regard à la fois sidéré et résigné de Miles, il s'éloigna vers une limousine. Il ouvrit la portière et se retourna une dernière fois :

– Continuez de vous amuser sans moi, lança-t-il. Faut que je file à une autre fête en mon honneur !

Puis il monta dans la voiture, qui démarra sur les chapeaux de roue.

Chapitre
16

MILES N'EN REVENAIT PAS. Il s'était assis – en réalité, il s'était plutôt laissé tomber – sur les marches du kiosque.

Il n'en revenait vraiment pas.

Autour de lui, les élèves de l'académie des sciences et des lettres de Roupilleville s'amusaient et riaient. Miles resta assis. Les parents vinrent chercher leurs enfants, et il resta assis. Quelques traînards récupérèrent tous les restes de nourriture – hots dogs et cookies –, sauf le gâteau, à peine entamé, et il resta assis. Holly et Niles vinrent lui parler, et il leur répondit d'une voix mécanique en restant assis. Le parc se vida, il resta assis. Au loin, une vache meugla.

Quand le soleil fut couché, Miles décida enfin qu'il était resté assis assez longtemps et se leva.

Il avait le sentiment que le monde autour de lui n'était plus le même. Maintenant qu'un personnage imaginaire avait pris corps sous ses yeux, tout était possible. Le kiosque allait peut-être décoller comme une fusée et l'emmener sur la planète Nébula. Un éclair allait peut-être frapper cet arbre un peu plus loin, l'ouvrir en deux et mettre au jour

un coffre rempli de pièces d'or. Un volcan allait peut-être surgir et exploser, propulsant Miles jusqu'à son ancien chez-lui, au bord de la mer, où tout le monde savait qu'il était le roi du canular.

Miles attendit quelques secondes, au cas où.

Mais rien ne se produisit.

Tout ce qui restait de l'anniversaire de Cody Burr-Tyler était une pelouse jonchée de papiers et un gâteau même pas à moitié mangé. Miles plongea le doigt dans le glaçage, le lécha et jeta le reste du gâteau dans une poubelle. Il ramassa les assiettes en carton, les papiers de bonbons, les bouteilles de soda, les croûtes de pizzas et les miettes de chips. Il aurait dû partir avec un chariot plein de cadeaux, mais il n'avait qu'un sac rempli de déchets. Il n'avait même plus le chariot qu'on lui avait offert pour ses six ans.

Miles secoua la tête. Non, Cody Burr-Tyler n'était pas cool. Pas cool du tout. Si on lui enlevait son maillot de foot et sa guitare, il ne restait qu'un voleur de chariot.

Le sac-poubelle sur l'épaule, Miles contempla le parc une dernière fois et remarqua un paquet oublié sous une table.

Un cadeau.

Miles posa son sac et s'approcha de la table. Il se mit à quatre pattes. L'herbe humide mouilla les genoux de son pantalon. Il tendit la main et attrapa la boîte. Il regarda autour de lui, s'attendant presque à voir débarquer Cody Burr-Tyler. Non, personne. Toujours sous la table, il déchira le papier cadeau. Une boîte à chaussures ! Le couvercle était scotché. Miles le décolla. De l'essuie-tout. Miles l'enleva et découvrit un poulet en plastique. Très drôle. Il soupira et se redressa. Alors qu'il allait le jeter, il remarqua une inscription sur son ventre.

Un message.

TEL EST PRIS QUI CROYAIT PRENDRE ! RETROUVE-MOI DANS LE CHAMP DES SHERMAN. DIMANCHE, AU COUCHER DU SOLEIL. VIENS SEUL.

Miles ne comprenait pas. Et soudain... Il ramassa le papier cadeau, le retourna dans tous les sens et découvrit l'étiquette.

POUR : Miles
DE LA PART DE : Niles

FAIT N° 313

Les vaches ont 32 dents, comme toi et moi !

FAIT N° 314

Les vaches ont été amenées en Amérique par les pionniers, mais elles ne portaient pas de drôles de chapeaux.

FAIT N° 315

Les vaches ne peuvent pas vomir.

WAOUH !

Chapitre 17

DIMANCHE. COUCHER DU SOLEIL.

Miles tenait le poulet en plastique. Par le cou.

Il avait les mains un peu moites.

Un craquement derrière lui. Il fit volte-face.

Niles. Sauf qu'il ne ressemblait pas à Niles. Il était difficile de dire précisément ce qu'il avait de différent. Déjà, il ne portait pas son écharpe « Bras droit du directeur », mais il y avait autre chose. Ses cheveux en bataille, peut-être ? Ou son regard d'acier ? À moins que ce ne soit sa veste marron et son pull à col roulé bleu marine ? Oui, son pull à col roulé bleu marine lui donnait l'air cool. Miles n'avait jamais trouvé Niles cool avant ce soir. Il ne savait même pas qu'un pull à col roulé bleu marine pouvait vous donner l'air cool. Et pourtant...

— Pourquoi as-tu apporté le poulet ? demanda Niles.

Miles regarda le poulet avant de fixer Niles. Droit dans les yeux.

– J'ai pensé qu'on pourrait en avoir besoin.

– Pour quoi faire ?

– Je me suis dit que cette rencontre avait peut-être quelque chose à voir avec le poulet.

– Ce poulet n'était qu'un moyen de te faire passer mon message. C'est une façon pour les rois du canular dans notre genre de communiquer entre eux.

– Oh, fit Miles. Tu veux que je te rende ton poulet ou je le garde ? Je peux aussi le…

– Laisse tomber le poulet, le coupa Niles.

Au loin, une vache meugla. Miles sentit qu'il perdait l'avantage.

– Tu as gâché mon canular ! lança-t-il.

– J'ai sauvé ton canular, le corrigea Niles.

– Quoi ?

Miles essaya de ricaner, mais il avait la bouche sèche et ne parvint qu'à tousser.

– Tu es cinglé, reprit-il. Tu as volé mes cadeaux ! Enfin, Cody Burr-Tyler a volé mes cadeaux ! C'était qui, d'abord, ce type ?

– Il habite Valléebourg, un village à côté d'ici. Je l'ai payé pour qu'il joue le rôle de Cody Burr-Tyler.

– Il a mes cadeaux ?

– Non, Miles. C'est moi qui les ai.

– Et c'est ça, ce que tu appelles sauver mon canular ?

– Ce n'était même pas un canular !

– Quoi ?

– Comment pensais-tu conclure ta farce ?

– En annonçant à tous les élèves présents qu'ils s'étaient fait avoir et en partant avec un tas de cadeaux.

– Tu serais parti avec les cadeaux après avoir avoué que tu avais menti ? C'est ça ?

Miles prit le temps de réfléchir avant de répondre :

– Oui.

– Et il se serait passé quoi, après ?

– Ils auraient été tellement sonnés qu'ils m'auraient laissé partir.

Niles secoua la tête. Miles fit la grimace.

– Je vois où tu veux en venir, dit-il, mais, n'empêche, je me serais fait un nom ! Moi, Miles Murphy, j'aurais réussi à piéger tout le collège !

– Oui, et tu serais devenu le menteur et le voleur de l'académie des sciences et des lettres de Roupilleville !

– C'est sûr que si tu présentes ça comme ça...

– Si tu pièges tout le monde, il ne reste personne pour apprécier la farce, insista Niles.

– Hein ?

– Tu as oublié une règle fondamentale du canular, poursuivit Niles. La chèvre doit mériter ce qui lui arrive.

– La chèvre ?

Niles leva les yeux au ciel.

– Tu ne sais vraiment rien de rien. La « chèvre », c'est comme ça qu'on appelle la victime d'un canular ! Et pour que ta farce soit drôle, il faut que ton public apprécie le spectacle. C'est pour ça que le directeur Barkin est la chèvre idéale.

– Alors c'est toi qui as garé sa voiture sur le perron du collège ?

Niles hocha la tête.

– Tu es qui pour me donner des leçons ? s'énerva Miles. J'étais le roi du canular dans mon ancien collège ! J'étais une légende !

– Tu étais un yak !

– Un quoi ?

– Un « yak », c'est un type qui se vante de ses canulars. Un vrai roi de la farce ne fait pas ça pour la gloire, mais pour le simple plaisir de la farce !

Miles serra le cou du poulet un peu plus fort.

– Écoute, reprit Niles, quand les gens savent qui tu es, ils t'attendent au tournant, ils t'observent. Les directeurs te suivent, te surveillent. C'est la mort du farceur ! Les meilleurs canulars exigent de la préparation, du travail. Et pour travailler tranquille, il faut être invisible. Les meilleurs faiseurs de canulars ne sont jamais démasqués.

Niles n'avait pas tort. Si Miles était honnête, l'opération « Short de Sandy » aurait été beaucoup plus drôle s'il ne s'était pas fait prendre presque la main dans le sac. Et cette histoire de chèvre n'était pas complètement idiote. Carl et Ben, ses deux meilleurs amis, qui étaient aussi les victimes de la majorité de ses canulars, commençaient à ne plus les trouver aussi drôles. Mais… Mais…

– C'est quand même cool d'être admiré ! fit-il valoir.

– C'est vrai, admit Niles. Et c'est pour ça que je t'ai demandé de venir ce soir. J'ai une proposition à te faire.

Il laissa passer un moment de silence avant de poursuivre :

– Que dirais-tu de faire équipe avec moi ? On pourrait devenir un super-duo de conspirateurs ! On pourrait fonder une société secrète et partager notre goût du canular. Je nous ai même déjà trouvé un nom : les Deux Terribles !

– Non, merci, répondit Miles.

– Quoi ? s'écria Niles.

Il n'avait soudain plus l'air aussi sûr de lui.

– Ça ne m'intéresse pas, affirma Miles.

– Mais ce serait bon pour toi, insista Niles. Je pourrais t'apprendre à ne pas te faire repérer et…

– Toi ? Tu pourrais m'apprendre ? Tu penses que tu as des choses à m'apprendre ? Je n'ai pas besoin de tes leçons ! Je suis une légende ! Je suis le roi du canular !

Niles fit une grimace.

– Je ne voulais pas te vexer. C'est vrai, tu as du potentiel.

– Du potentiel ? DU POTENTIEL ?

Miles ne se rendit même pas compte qu'il s'était mis à crier.

– J'ai réalisé des canulars dont tu n'oserais même pas rêver ! Tu as entendu parler de l'opération « Bouillie froide » ? De « la Grande Virée à double foyer » ? Toi l'expert, toi qui connais tout, tu ne serais pas tombé dans tes recherches sur « les Bestioles du tas de patates », par hasard ?

— Jamais, non, répondit Niles.

— Alors peut-être que c'est toi qui as besoin que je te donne des leçons, parce que c'est moi qui ai inventé ces canulars.

Niles leva les mains comme s'il rendait les armes.

— D'accord, d'accord, j'ai compris. Je ne voulais pas insinuer que…

— Tu penses que j'ai besoin de toi ?

— Je pense que nous pourrions nous aider mutuellement.

— Ha ! ha ! fit Miles.

Niles haussa les sourcils.

— Alors, je te le répète, poursuivit Miles. Je ne suis pas intéressé. Aucune chance que je sois la cinquième roue du carrosse dans ta petite équipe ! D'ailleurs…

Il prit une grande inspiration.

— Je te déclare la guerre des canulars !

— Miles, je ne veux pas…

— Tu as peur ! Le grand expert en canulars a la trouille !

— On ne devrait pas…

— Je ne reviendrai pas là-dessus ! C'est la guerre !

— Miles, tu devrais prendre le temps de réfléchir…

— Non, Niles, c'est tout réfléchi. Rentre chez toi et commence à préparer un plan. Passes-y du temps, tu vas avoir besoin de toutes tes cellules grises parce que, quoi qu'il arrive, j'aurai toujours un temps d'avance sur toi !

– Très bien, déclara Niles en soupirant, si c'est ce que tu veux. Je suis désolé que…

– Moi aussi, je suis désolé, Niles. Désolé que ta petite réunion au sommet ne se déroule pas comme tu l'avais prévu. Tu pensais sans doute que j'allais accepter ta proposition, mais ça prouve que tu ne me connais pas. Tu n'as aucune idée de ce qui se passe là-dedans !

Il se tapota le front avec le bec du poulet.

– Et c'est pour ça que tu ne gagneras pas cette guerre ! conclut-il.

Niles haussa les épaules.

– Comme tu voudras. La guerre est déclarée, alors.

Miles Murphy regarda Niles s'éloigner. Il le suivit du regard jusqu'à ce qu'il ne soit plus qu'une silhouette

dans le soleil couchant. Une silhouette au milieu des silhouettes de vaches. Il était si absorbé qu'il n'entendit pas Josh Barkin arriver dans son dos. Il n'eut pas le temps de réagir avant que Josh lui écrase la gorge en lui passant le bras autour du cou.

— Je savais que je te trouverais ici, nullos.

— Comment ? réussit à articuler Miles.

— Ce nullos de Niles t'a vendu. Il m'a téléphoné hier. Il avait la trouille que je le frappe pour l'histoire du plateau.

S'il avait pu, Miles aurait soupiré.

— Même ce nullos n'est pas ton pote, ricana Josh.

Puis il lui balança un coup de poing dans les côtes. Miles lâcha le poulet en plastique.

PREMIER JOUR DE GUERRE, souffla une

petite voix dans la tête de Miles.

Il était caché derrière une plante près de la salle des profs. Ou deuxième jour, continua la petite voix, si on compte la rencontre avec Josh Barkin hier soir. Mais non, c'est mieux de ne pas la compter.

Miles regarda sa montre. Il avait neuf minutes avant de lancer la première salve. La récréation du matin durait quinze minutes. Six étaient déjà passées, durant lesquelles huit enseignants étaient entrés dans la salle des profs. Miles sortit une affiche de son sac.

JOURNÉE DES PROFESSEURS
MERCI
À NOS PROFESSEURS ADORÉS
OUI, VOUS !

EN VOTRE HONNEUR, DES PARENTS D'ÉLÈVES
ONT PRÉPARÉ DE DÉLICIEUX CUPCAKES !

UN PETIT GOÛTER
ATTEND NOS PROFESSEURS CHÉRIS
à la cantine à l'heure de la récréation...

TELLEMENT BONS
QU'IL N'EN RESTERA PAS LONGTEMPS.
MIAM !
MERCI, PROFESSEURS ADORÉS !

Miles regarda à droite et à gauche. Personne. Il sortit de derrière le philodendron en faisant une roulade, rampa sur la moquette et glissa l'affiche sous la porte. Il frappa deux fois, se précipita de nouveau derrière la plante et attendit.

La porte s'ouvrit après exactement dix-huit secondes.

Le premier prof à sortir fut Mme Thoren, suivie de M. Lewis, M. Gebott, Mlle Machle, Mme Trieber, M. Stevenson et M. Maxwell. Ils filèrent en direction de la cantine, où ils trouveraient une table chargée de délicieux cupcakes (faits avec beaucoup de jaunes d'œufs pour qu'ils soient bien moelleux. Miles n'avait pas oublié la cata du gâteau d'anniversaire).

— J'adore les cupcakes, lança Mme Maxwell à Mlle Machle.

— J'espère qu'ils sont au chocolat, cria Mme Trieber à M. Stevenson.

— Je me demande pourquoi on ne nous les a pas apportés dans la salle des profs, murmura M. Lewis à personne en particulier.

Sept profs. Il en manquait un. Miles attendit encore une minute. Puis encore trente secondes. Il ne lui restait plus que six minutes et demie. Qui était encore à l'intérieur ? Miles essaya de se rappeler qui était entré, mais tout s'était passé très vite, à un moment où le couloir était rempli d'élèves. Le directeur avait crié, les portes des casiers avaient claqué, les cartables avaient volé… Il y avait eu un éclair argenté… Ah oui, le pantalon de survêtement de M. O., le prof de sport.

Pourquoi n'était-il pas sorti avec les autres ? C'était typiquement le genre à adorer les cupcakes ! Miles l'avait vu manger des cupcakes tous les matins pendant les trois premières semaines après la rentrée.

Mais seulement pendant les trois premières semaines.

Miles s'adossa au mur. Il se rappelait maintenant une conversation qu'il avait entendue entre M. O. et M. B., l'autre prof de sport : M. O. avait entamé un régime sans sucre.

Or il n'y a pas plus sucré que des cupcakes.

Miles n'avait pas beaucoup de temps pour trouver une solution. Comment faire sortir M. O. de la salle des profs ?

Oui ! Il prit une feuille blanche dans son sac et commença à écrire. Parfait ! Une tache d'encre en bas et ça ressemblait tout à fait à un tract polycopié.

Nickel !

On roule, on rampe, on glisse la feuille, on frappe !

Moins de six secondes après, Miles était revenu derrière la plante. M. O. fut dans le couloir en moins de trois. Dans un éclair argenté, il fila à toute berzingue vers la cantine.

Miles avait encore trois minutes devant lui. Il quitta sa cachette et courut à la porte de la salle des profs.

Il pénétra dans ce lieu absolument interdit aux élèves. Le saint des saints.

Ça sentait le café.

Tout était beige sauf un canapé, marron, dont l'assise éventrée laissait apparaître de la mousse blanche. Il y avait des tasses partout et des magazines qui dataient de plusieurs mois. Là, des mots croisés pas terminés et, là, une rangée de boîtes aux lettres avec les noms des professeurs.

Le frisson de l'interdit. C'était si bon. Miles se sentait comme un espion dans un château ennemi.

Il lut les étiquettes une par une. Alvarez, Andersen, Barkin…

Pour ce qui suivait, Miles s'était entraîné. Il sortit de son sac une longue enveloppe blanche. Puis, se dressant sur la pointe des pieds, il y jeta un dernier coup d'œil.

Pour le directeur Barkins
De la part de Niles

Il émit un petit rire, embrassa l'enveloppe et la laissa tomber dans la boîte du directeur.

Il eut même le temps de prendre un beignet sur la table avant de sortir.

Quand la sonnerie retentit, il était de retour dans le hall, la bouche pleine.

Chapitre
20

— EN RANG ! ALLEZ, ALLEZ ! criait M. O.

Il ne s'interrompait que pour siffler dans son sifflet.

— On ne reste pas en petits groupes ! On se met en rang !

Personne n'obéissait. Josh Barkin sauta et effleura le cercle du panier de basket. Stuart avait mis son T-shirt à l'envers. Trois élèves lisaient, assis sur le banc de touche. Au loin, une vache meugla.

— Allons ! En rang ! continuait M. O., désespéré. Vous ne savez pas que c'est la journée des professeurs, aujourd'hui ? Il n'y avait pas de bacon, c'est bête. On m'avait dit qu'il y aurait du bacon.

— Les cupcakes n'étaient pas si bons que ça, commenta M. B. Ils étaient secs.

Miles leva les yeux au ciel.

— Vous avez quand même eu l'air de vous régaler, repartit M. O. Toi, tu en as pris au moins trois.

— Personne ne t'empêchait d'en prendre aussi.

— Je fais un régime sans sucre ! geignit M. O. avant de redonner un coup de sifflet. On se range !

109

Les élèves ne bougèrent pas. Ah si, les petits groupes se coagulèrent en un gros groupe.

– Vous appelez ça un rang ? s'égosilla M. O. Moi, j'appelle ça un tas !

– Un gros tas, même, renchérit M. B.

Après quelques déplacements accompagnés de coups de coude de la part de Josh, les élèves formèrent enfin un genre de ligne.

– Voilà ! s'exclama M. O. d'un air triomphant.

– Très bien ! ajouta M. B.

M. O. siffla une nouvelle fois.

– Bon, les enfants, on commence les séances de hockey aujourd'hui ! La règle la plus importante au hockey ? La palette de votre crosse ne doit jamais dépasser la hauteur de vos genoux !

— Vous devez garder votre crosse le plus près du sol possible, ajouta M. B., le sifflet dans la bouche. Cela afin de ne pas risquer de blesser un camarade !

Josh tourna la tête vers Miles et afficha un sourire mauvais.

— Les crosses sont là, les cônes là-bas et les palets ici, indiqua M. B. Vous vous servez et vous commencez à vous entraîner.

Il donna un coup de sifflet strident et la ligne se désagrégea aussitôt.

— Ces gamins n'écoutent rien, gronda M. O. à M. B. Ça me rend dingue. Regarde, j'en ai les mains qui tremblent.

— Tu devrais peut-être manger un biscuit, lui conseilla M. B.

— Je ne peux pas manger de biscuits ! s'énerva M. O.

— Calme-toi, Tom.

Le ton montait entre les deux professeurs, qui criaient et sifflaient en même temps.

C'est alors que Miles vit Niles sortir un palet en caoutchouc de sa poche. « Regardez-moi ça », songea-t-il. Il avait presque pitié de lui. Le pauvre Niles, qui ne savait pas ce qui allait lui tomber dessus !

Toute la journée, Miles avait attendu que le directeur fasse irruption dans la classe et attrape Niles par la peau du cou. Le cours de sciences naturelles était passé, puis celui d'histoire et celui d'anglais. Rien. Ça allait forcément être maintenant et c'était encore mieux ! Niles allait devoir aller au bureau du directeur en survêtement ! Ha ! Ha ! Et ensuite, il écoperait de trois jours de suspension ! On allait voir qui serait la chèvre, cette fois !

Car voilà ce qu'il avait déposé dans le casier du directeur pendant la récréation :

Cher directeur,
Moi, Niles, j'ai le regret de vous informer que c'est moi qui ai garé votre voiture sur le perron de l'école le jour de la rentrée. Ceci est ma confession. Je suis désolé. Je ne sais pas pourquoi je l'ai fait, mais je suis conscient que la punition sera sévère. Je l'accepte et vous prie d'agréer mes respects les plus respectueux.
Bien à vous, Niles

Miles ignorait à quoi ressemblait la signature de Niles. C'est pour ça qu'il avait griffonné des pattes de mouche illisibles au bas de la lettre. Il était vraiment trop fort. Pauvre, pauvre Niles, avec ses vêtements de sport trop grands et sa crosse de hockey en plastique sous le bras.

– On fait équipe ? lui proposa Niles.

Miles haussa les épaules.

– Je n'ai pas de crosse.

– Je ne parlais pas de ça, mais de ma proposition d'hier.

Il regarda autour de lui avant d'ajouter à voix basse :

– Les Deux Terribles…

– Oh, ça ? fit Miles. C'est quoi ton problème ? Tu regrettes de m'avoir déclaré la guerre ?

– C'est toi qui m'as déclaré la guerre.

– Peu importe. Tu sais ce que je crois, Niles ? Je crois que tu as les jetons. Tu préférerais m'avoir à tes côtés que contre toi !

Il tourna brièvement la tête vers la porte du gymnase. Si Barkin arrivait maintenant, ce serait parfait !

Mais Barkin ne se montra pas.

Niles sortit lentement une enveloppe de la poche de son survêtement.

Pas n'importe quelle enveloppe.

L'enveloppe.

Miles arrêta de respirer.

– Où est-ce que tu as eu ça ?

– C'est moi qui trie le courrier du directeur avant de le lui apporter. Tu n'as pas oublié que je suis son bras droit ? Comme tu peux l'imaginer, j'ai été un peu surpris de découvrir une lettre de ma part adressée à M. Barkin. Alors je l'ai ouverte à la vapeur avec la bouilloire de la salle des profs pour voir ce qu'elle disait.

– Incroyable ! ne put s'empêcher de lâcher Miles.

– C'est ce que j'essaie de te dire, Miles ! Si tu ne te vantes jamais et que tu fais profil bas, tu es au-dessus de tout soupçon. Et, de cette manière, tu as accès à l'intérieur même du système. C'est comme ça que je réalise les canulars les plus spectaculaires.

Il fit une pause avant d'ajouter :

– Je ne m'intéresse pas aux semi-canulars douteux.

– De quoi tu parles, là ?

– De ta lettre. Elle n'avait rien d'un canular.

– Bien sûr que si !

– Oh, non ! Tu ne faisais que me dénoncer. C'est complètement nul. Et c'est une violation du serment des faiseurs de canulars.

– Jamais entendu parler de ce serment !

Niles secoua la tête.

– Ça ne m'étonne pas. Si tu acceptais d'être un des Deux Terribles…

– Jamais ! Je me fiche pas mal de ton prétendu serment ! Je suis né pour le canular ! Le canular coule dans mes veines.

– Ça veut dire qu'on est toujours en guerre ? demanda Niles d'un ton déçu.

– Oh, que oui.

– D'accord, fit Niles en tendant une enveloppe. Alors, jette un coup d'œil à ça.

Pour le directeur Barkins
De la part de Miles

– Quoi ?

Miles voulut attraper l'enveloppe, mais Niles ne le laissa pas faire.

– Attends, je veux te montrer ce qu'il y a dedans.

Cher directeur,

Moi, Miles, j'ai le regret de vous informer que c'est moi qui ai garé votre voiture sur le perron de l'école le jour de la rentrée. Ceci est ma confession. Je suis désolé. Je ne sais pas pourquoi je l'ai fait, mais je suis conscient que la punition sera sévère. Je l'accepte et vous prie d'agréer mes respects les plus respectueux.

Bien à vous,

— Pas mal, non ? Une confession écrite de ta main. Ça pourrait me servir d'arme de guerre, déclara Niles avec un sourire.

— Ce n'est pas mon écriture, objecta Miles.

Pour qu'on ne reconnaisse pas son écriture, il avait pris soin de fermer les yeux en écrivant la lettre.

— Ça ressemble toujours plus à la tienne qu'à la mienne, riposta Niles.

— Qu'est-ce que tu en sais ?

— Tu te souviens du rapport de troisième semaine que je t'ai fait remplir ?

Il sortit une nouvelle feuille de sa poche.

Écrivez une courte rédaction décrivant vos trois premières semaines à l'académie des sciences et des lettres de Roupilleville. Utilisez vos connaissances en littérature, en histoire, sur le cinéma ou la télévision.

_____ Va te faire voir, Niles _____
Bien à toi, Miles

Pas de doute. Miles était bien obligé de reconnaître que l'écriture de la lettre adressée au directeur était une version moins soignée (si tant est qu'on pouvait qualifier l'écriture de Miles de soignée) de la sienne.

— Sans compter que je n'écris jamais au Bic, ajouta Niles. Contrairement à toi. C'est d'ailleurs avec ton propre stylo que je t'ai emprunté pendant le cours de sciences naturelles que j'ai modifié ce « N » pour en faire un « M ».

Miles devait reconnaître que Niles était plutôt doué.

— Je vais garder ce document, déclara Niles après avoir léché l'enveloppe pour la refermer. Au cas où j'aurais besoin de la glisser dans le casier de Barkin.

Miles se força à ricaner :

— Tu me dénoncerais ? Ce ne serait pas une violation de ton serment des faiseurs de canulars ?

– Non, répondit-il d'un air narquois. Ce serait le cas seulement si tu savais comment garer une voiture sur le perron de l'école. Mais tu es loin d'être assez fort pour imaginer un canular de ce calibre.

Niles tourna les talons. Quand la sonnerie retentit, les deux professeurs de sport étaient encore en train de crier et de siffler.

FAIT N° 585

Une vache laitière produit 60 litres de salive par jour. Ça fait beaucoup de petites cuillerées. Beurk !

FAIT N° 586

Les vaches peuvent monter des marches, mais elles sont incapables de les descendre à cause de leurs articulations. On dirait que je parle de ma grand-mère. (Sauf que ma grand-mère n'arrive pas non plus à monter l'escalier !)

FAIT N° 587

Les vaches sont des animaux grégaires. Elles aiment former de grands troupeaux. Cependant, elles n'aiment pas toutes leurs congénères. Eh oui, il y a des vaches populaires et d'autres non !

WAOUH !

MLLE SHANDY SE TENAIT face à la classe. Elle portait une jupe longue et des baskets.

– Qui veut être le premier à présenter son exposé ? demanda-t-elle.

Niles Sparks leva la main. Son coude formait un angle parfait. Il jouait admirablement son rôle de premier de la classe.

Mlle Shandy attendit un instant, au cas où un autre élève se porterait volontaire.

Évidemment, ce ne fut pas le cas.

– Niles, finit-elle par dire avec un sourire.

Celui-ci avança vers le tableau, une grande boîte à chaussures noire sous le bras.

Tout se déroulait comme prévu.

Après le fiasco de la fausse confession, Miles avait dû accepter l'évidence : pour piéger Niles, il allait devoir s'améliorer. Écriture, choix de stylo, responsabilités dans le cadre scolaire… il n'avait jamais pensé à tout ça. Il devait reconnaître que, oui, il pouvait apprendre de Niles (ça l'agaçait profondément, d'ailleurs). Il avait donc mis au point une nouvelle stratégie. Désormais, il serait plus vigilant, plus patient et, surtout, mieux préparé.

Deux semaines après le fameux cours de sport, Miles avait commencé à concocter un tout nouveau plan. Celui-ci avait pris forme durant un cours de Mlle Shandy. Elle avait demandé un exposé sur une civilisation ancienne.

– Mademoiselle, est-ce qu'on pourra utiliser un support visuel pour l'exposé ? avait demandé Niles.

– Bien sûr, mais vous n'aurez pas une meilleure note pour autant.

– Mais on pourra s'en servir si on pense que ça aide à la compréhension de notre exposé ?

– Oui, bien sûr.

– Coool, avait murmuré Niles.

– Laisse-moi deviner, lui avait soufflé Holly. Tu vas nous faire une maquette ?

Niles n'avait pas répondu, mais son petit sourire en disait long.

À la cantine, Holly expliqua à Miles ce qu'il en était :

– Niles fait toujours des dioramas. L'année dernière, il en a présenté neuf. Quand on a étudié *Sa Majesté des mouches*, il en avait fait un avec de la mousse, une tête d'ours dont les yeux s'allumaient et clignotaient en rouge. En maths, il en a apporté un qui représentait la bibliothèque personnelle de René Descartes ; en sciences nat, le prof nous avait demandé un diorama sur les volcans et il en a carrément fait deux ! Un avec un volcan et l'autre sur comment on fait un diorama sur les volcans.

– Il a vraiment l'air d'aimer ça, commenta Miles.

– Tu crois ? railla Holly.

– Au fait, s'enquit soudain Miles, que la question tracassait depuis un moment, est-ce que tu as déjà vu quelqu'un qui avait l'air cool en pull à col roulé ?

– Bien sûr. Steve McQueen, Richard Roundtree.

– Qui c'est ?

– Des acteurs connus. D'avant, dit-elle avec regret. Tu vas manger tes pâtes de fruits ?

Miles adorait les pâtes de fruits, mais Holly les avait bien méritées. Au moins la moitié. Elle lui avait fourni des informations très intéressantes.

– Salut, Holly, salut, nullos, lança Josh Barkin en s'asseyant à califourchon sur une chaise.

– Salut, Josh, répondit Holly.

Josh lui adressa le sourire qu'il réservait aux profs.

– Faut qu'on parle. Les vacances de Noël arrivent et je sais que, comme moi, tu as commencé à réfléchir à ton avenir politique. J'espère que tu n'as pas l'intention de te présenter aux élections du délégué de classe ?

– Si.

– J'admire ton optimisme, Holly. Vraiment. Mais tu as perdu deux ans d'affilée. Dans ma grande générosité, je me suis dit que je pouvais te faire une proposition : Voudrais-tu être vice-déléguée ?

– On n'a pas de vice-délégué, Josh.

– Je peux demander à mon père de changer ça.

– Je veux être déléguée, pas vice-déléguée.

Josh fronça les sourcils.

– C'est bien dommage. Je ne tape pas les filles, mais si tu te présentes je vais être obligé de m'occuper de ton pote le nullos.

– S'il n'y a que ça pour te faire plaisir...

Miles jeta un coup d'œil inquiet à Holly. Elle ne pensait pas vraiment ce qu'elle disait, hein ? Holly l'ignora.

Josh se releva, et, après s'être assuré qu'aucun adulte ne regardait dans sa direction, il donna un coup de pied dans la chaise.

– Vous êtes des nullos !

– Merci beaucoup, jeta Miles à Holly après le départ de Josh.

– Il en a déjà après toi, de toute façon, repartit Holly. Tiens, prends des pâtes de fruits.

Miles allait lui rappeler que les pâtes de fruits étaient à lui, mais il se tut. Elle le savait déjà, non ?

Les élèves avaient deux semaines pour préparer leurs exposés. Jamais le carnet de notes de Miles n'avait été aussi rempli de schémas et de croquis.

Le vendredi, il avait un plan qui tenait la route.

Étape 1 : recherches. Dans le vestiaire de sport, Miles avait pris le temps d'observer les chaussures de Niles. Noires, cirées, pointure 39.

Chaussures noires cirées :
→ Pointure 39

Étape 2 : prendre les mesures qui s'imposent. Il s'y attela dès que sa mère vint le chercher à la sortie du collège.

– J'ai besoin de nouvelles chaussures.

– Je viens de t'en acheter.

– Pas des comme ça. Des plus chics.

– Tes chaussures sont chics.

– J'aimerais des chaussures vraiment chics.

– Tes chaussures sont vraiment chics.

– Des vraiment vraiment chics.

– Elles sont vraiment vraiment chics.

Bon, ça ne marchait pas. Changement de tactique.

– Tu sais, maman, c'est juste que… non rien.

– Quoi ?

– Non, rien. Je préfère ne pas en parler.

– Miles, tu sais que tu peux tout me dire.

– C'est juste que des garçons du collège se moquent de mes chaussures.

– Ils t'embêtent ? Ils te menacent ?

– Non, pas vraiment…

– S'il y a des élèves qui embêtent les autres, tu dois vraiment m'en parler. L'autre jour, j'ai vu une émission sur le sujet à la télé et…

– Non, c'est juste que…

– Tu ne dois pas vouloir changer à cause de garçons qui t'embêtent. Regarde-moi, Miles. Il n'y a rien à changer chez toi. Pas même tes chaussures. Si tu veux, je peux aller en discuter avec le directeur Barkin…

Ça ne prenait pas du tout le tour que Miles avait prévu.

– Maman ! Personne ne m'embête. Ce n'est même pas pour ça que je voulais des nouvelles chaussures.

Bon, il fallait trouver un autre truc...

– Si je voulais des nouvelles chaussures, c'est juste que... je voudrais faire des efforts sur ma tenue vestimentaire. Tu le disais toi-même quand on est allés acheter des vêtements pour l'école, la dernière fois. Ça me ferait du bien de m'habiller un peu plus comme... un jeune homme.

À 16 h 22, Miles possédait une nouvelle paire de chaussures qui ressemblaient en tout point à celles de Niles. Il les trouvait affreuses. Mais la boîte était assez cool !

Étape 3 : pose des premières pierres.

Le matin, dès que sa mère quittait le parking du collège, Miles sortait sa chemise de son pantalon et remettait ses baskets. Après les cours, il lissait ses habits et réenfilait les chaussures noires. Tous les soirs, il travaillait sur son diorama.

Le premier problème était que Miles chaussait du 40 ; un peu de blanco et un marqueur noir résolurent le souci.

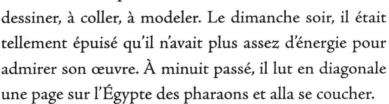

Pour le reste du diorama, il fallut un peu plus de temps. Miles passa la semaine à couper, à dessiner, à coller, à modeler. Le dimanche soir, il était tellement épuisé qu'il n'avait plus assez d'énergie pour admirer son œuvre. À minuit passé, il lut en diagonale une page sur l'Égypte des pharaons et alla se coucher.

Ce lundi, quand il entra dans la classe de Mlle Shandy, il portait une boîte à chaussures qui, du moins en apparence, ressemblait à s'y méprendre à celle que Niles avait dans son sac. Il s'assit et plaça précautionneusement la boîte sous sa chaise.

Intérieurement, il était excité comme une puce ; extérieurement, il était aussi posé et calme qu'une boîte à chaussures.

La sonnerie retentit. Comme tous les matins.

Mlle Shandy fit l'appel. Comme tous les matins.

Et, comme tous les matins, Niles alla scotcher la feuille d'appel sur la porte de la classe.

C'était le moment crucial. Miles laissa tomber son stylo et, en se penchant pour le ramasser, échangea sa boîte avec celle de Niles.

Parfait.

Niles revint à sa place. Il n'avait rien remarqué.

Miles gardait les yeux fixés droit devant lui, mais il ne put s'empêcher de sourire à l'idée de ce qui allait suivre.

Niles avait fabriqué un diorama représentant les Jardins suspendus de Babylone.

Miles lui avait refilé un diorama représentant le principal Barkin dans son bain.

Ce jour-là, Mlle Shandy portait une jupe longue et des tennis rouges.

– Qui veut présenter son exposé ? questionna-t-elle.

Niles leva la main et son coude forma, comme toujours, un angle presque parfait.

Mlle Shandy attendit, au cas où un autre élève se porterait volontaire.

Comme toujours, ce ne fut pas le cas.

– Très bien, Niles, viens au tableau.

Niles se leva, sa boîte à chaussures noire sous le bras. Il la posa sur le bureau de Mlle Shandy sans en ôter le couvercle.

– Je vais vous faire découvrir une des Sept Merveilles du monde, annonça-t-il.

C'était presque trop parfait…

– Préparez-vous à un voyage dans un sanctuaire secret qui vous éblouira.

Il posa la main sur le couvercle de la boîte.

– Vous êtes prêts ?

Dans un grand geste, il ouvrit la boîte et révéla… une magnifique représentation des Jardins suspendus de Babylone.

– Même moi, je suis bien obligée de reconnaître que c'est vraiment un super beau diorama, commenta Holly.

— Les érudits de l'Antiquité attribuent cette œuvre au roi Nabuchodonosor II, poursuivit Niles, mais certains historiens pensent que ces jardins suspendus ne se sont jamais trouvés à Babylone, mais en Assyrie, sous le règne du roi Sennachérib.

Impossible.

C'était impossible.

Miles avait échangé les boîtes. Non ? Si. Vraiment ? Mais oui !

Il devait quand même vérifier. Parce que si le diorama des Jardins suspendus était là, qu'y avait-il dans sa boîte à lui ?

Il se pencha discrètement, tendit la main, ouvrit la boîte...

... Et des centaines de sauterelles se répandirent dans la classe.

Chapitre
22

-DES SAUTERELLES ? tonna M. Barkin, le visage violet.

– Oui, confirma Mlle Shandy en poussant un soupir. Des sauterelles.

– Mademoiselle Shandy, je m'adressais à Miles ! tempêta le directeur. Des sauterelles ?

– Oui, répondit Miles, des sauterelles.

– Miles Murphy…

Le directeur plissa le nez et sa langue se posa sur ses dents de devant.

– … aurais-tu voulu faire une… farce ?

– Non, monsieur.

Un nuage de sauterelles jaillissant d'une boîte à chaussures. Des filles et des garçons en train de hurler. Josh Barkin, réfugié sous son bureau comme lors d'un tremblement de terre. Stuart, debout sur sa chaise, une feuille de bouleau à la main, en train de crier : « Tout va BIEN ! Tout va BIEN ! J'ai une IDÉE ! » Des sauterelles sautant sur les visages, dans les cheveux, s'accrochant aux murs. Stuart continuant d'agiter sa feuille (où avait-il bien pu dégotter cette feuille ?) en criant : « C'est leur NOURRITURE ! » La sensation des petites pattes des sauterelles sur la peau. Leur stridulation incessante qui ressemblait à un crissement de pneus. C'était une farce géniale. Mais ce n'était pas Miles qui en avait eu l'idée.

– Alors, pourquoi, Miles Murphy, as-tu lâché toutes ces sauterelles dans la classe ?

– C'était un accident, hasarda Miles.

– Un accident.

Le directeur Barkin afficha le sourire du directeur qui vient de piéger un fauteur de troubles.

– Et pourquoi, Miles Murphy, avais-tu ces sauterelles dans ton cartable ?

Miles afficha la grimace du fauteur de troubles qui vient de se faire piéger. Il savait qu'on lui poserait la question ; pourtant, il n'avait pas trouvé de réponse acceptable. Que pouvait-il dire ? La vérité ? Bien sûr que non ! Le directeur ne croirait jamais le fantastique Niles – son bras droit – capable d'une chose pareille. Niles avait raison : il était au-dessus de tout soupçon. Et puis, de toute façon, Miles n'était pas un rapporteur. Sans compter que la vérité impliquait un certain diorama montrant Barkin dans son bain. Il était coincé.

– C'était un support visuel pour mon exposé, lança-t-il enfin.

Le visage du directeur fonça encore d'une teinte.

– Un quoi ?

– Mlle Shandy nous a autorisés à utiliser un support visuel pour notre exposé, répondit Miles.

Le directeur se tourna vers la professeure.

– Est-ce la vérité, mademoiselle Shandy ?

Mlle Shandy regarda Miles de travers avant de répondre.

– Oui, c'est vrai.

– Eh bien, dans ce cas…

Son visage s'éclaircit et prit momentanément la couleur d'une nectarine, avant de redevenir aubergine.

– C'est n'importe quoi, Miles Murphy ! Un diorama est un support visuel ! Comment une nuée de sauterelles est-elle censée aider à présenter un exposé ?

– Je voulais parler des pharaons, expliqua Niles. Ces sauterelles illustraient une des dix plaies d'Égypte. Vous savez, l'invasion des sauterelles. Certains historiens ont affirmé que...

– Je sais ! l'interrompit le directeur. N'est-ce pas, mademoiselle Shandy ?

– Bien sûr, monsieur le directeur.

– Je voulais juste montrer à quoi ressemblait une nuée de sauterelles, continua Miles. Sauf que les sauterelles n'étaient pas censées s'échapper.

Il avait pris son air le plus innocent. Il haussa les épaules avant de reprendre :

– Finalement, j'ai quand même atteint mon but. Je pense que les élèves savent maintenant exactement ce qu'on ressent en cas d'invasion de sauterelles.

Le directeur Barkin expira longuement par le nez et s'adossa à son fauteuil.

– Ça ne sent pas bon. Pas bon du tout.

– Peut-être à cause des sauterelles, fit Miles. Elles sentent un peu la sueur, vous ne trouvez pas ?

– Je ne parlais pas littéralement ! aboya le directeur. C'était une métaphore. Les Barkin ont toujours été très doués pour les métaphores. Quoi qu'il en soit, Miles Murphy, je considère cette histoire comme ta deuxième infraction grave.

— La deuxième ? C'était quoi, la première ?

— Quand tu as garé ma voiture sur le perron du collège. Je ne sais d'ailleurs toujours pas comment tu as fait.

— Ce n'est pas moi, rétorqua Miles.

— Et tu n'as pas non plus fait exprès de lâcher ces sauterelles ! L'infraction numéro trois sera une nouvelle farce que tu nieras avoir commise, ce qui signifiera que tu auras commis les deux premières. La troisième infraction fera des deux précédentes de véritables infractions, et si l'on continue dans cette logique elle transformera donc deux infractions niées en…

— Monsieur Barkin, l'interrompit Mlle Shandy, je pense que Miles devrait retourner en classe et remettre toutes les sauterelles dans leur boîte.

— Oui, bien sûr, acquiesça le directeur. Qu'il y aille. Vous, mademoiselle Shandy, j'aimerais discuter en privé avec vous.

Miles se leva. C'était tout ? Pas de punition ?

— Qu'est-ce que tu fais la bouche ouverte ? gronda le directeur. File !

NILES SPARK ATTENDAIT Miles devant le bureau du directeur.

— Pas mal ! lança-t-il. Bonne défense.

— Tu as tout entendu ?

— Oui, grâce à un vieux truc d'espion, expliqua Niles en montrant le verre qu'il cachait derrière son dos.

— Ça marche ?

— Essaye, si tu veux.

Miles posa le verre contre le battant de la porte et colla son oreille dessus.

— C'est vrai, mais je n'ai pas annulé le cours, argumentait Mlle Shandy. J'ai seulement demandé aux élèves de continuer leur présentation dans le champ à côté.

— Je comprends, fit le directeur. Mais nous, les Barkin, sommes extrêmement sensibles à *l'apparence* d'une interruption.

J'ai l'esprit large, mais imaginez si mon père vous avait découverts, vous et les élèves, rassemblés sous un arbre au beau milieu de la journée !

Miles rendit le verre à Niles.

– Cool, commenta-t-il.

Il fit de son mieux pour ne pas montrer à quel point il trouvait ça cool, en réalité. Les deux garçons remontèrent le couloir côte à côte.

– Ta farce était vraiment excellente, déclara Niles.

– Merci, répondit Miles.

– Je le pense vraiment.

– Comment as-tu su ce que j'avais préparé ?

Niles s'arrêta et regarda Miles.

– Comment as-tu su que j'allais échanger les boîtes ? répéta Miles.

– Je t'ai vu changer de chaussures dans le parking, la semaine dernière. Ce n'était pas difficile d'en déduire ce que tu préparais. D'ailleurs, tu devrais porter des chaussures habillées

plus souvent. Une fois que ton pied s'y est fait, c'est très agréable et…

— Mais comment…

— J'ai seulement profité d'un moment d'inattention de ta part. Tu sais, quand tu souriais bêtement ? Tu pensais à quoi ? Tu m'imaginais en train de montrer à tout le monde le diorama que *tu* avais préparé, c'est ça ?

Miles ne répondit pas.

— Un conseil : ne vends jamais la peau de l'ours avant de l'avoir tué.

Miles n'arrivait pas à savoir s'il était en colère contre Niles ou contre lui-même. Probablement contre Niles.

— Merci pour le conseil de M. l'Expert !

Ce n'était pas la repartie la plus géniale du monde, mais la colère l'empêchait de réfléchir.

— Considère-moi comme un magicien qui te révèle ses trucs, Miles. Et je ne le fais que parce que je respecte ton talent d'improvisation. C'est pour ça que les Deux Terribles seraient…

— Arrête ! C'est facile de venir critiquer, c'est déjà plus difficile d'avoir un plan et de le mettre à exécution.

— Quoi ?

— Je dis juste que cette guerre n'est pas très équitable. Moi, j'agis, et toi, tu te contentes de me contrer. Tu parles ! Pourquoi est-ce que je voudrais faire équipe avec toi ? Parce que tu as réussi à garer la voiture du directeur sur le perron du collège ? Waouh ! Génial ! Mais ça fait six semaines que tu joues en défense. Si tu es aussi génial que tu l'affirmes, alors prouve-le-moi !

– D'accord, fit Niles.

Il partit de son côté et Miles alla récupérer les sauterelles.

FAIT N° 777

Une vache pèse en moyenne 750 kilos et aucune d'entre elles ne se sent comme une « grosse vache » !

FAIT N° 778

Des études ont montré que la musique classique aide les vaches à produire plus de lait. Alors, la première fois que vous aurez besoin de lait, faites écouter Tchaïkovski, Chopin ou Bach à votre vache !

FAIT N° 779

Les vaches mangent 50 kilos d'herbe par jour. Vous avez besoin de tondre la pelouse ? Appelez une vache !

WAOUH !

Chapitre
24

MILES MURPHY en perdait le sommeil et l'appétit. Il avait une mine de papier mâché.

— Tu as une mine de papier mâché, lui fit remarquer Holly. Tu es sûr que tu vas bien ?

Non, Miles n'allait pas bien du tout. Il avait passé les deux derniers mois à essayer d'anticiper une attaque qui n'avait jamais eu lieu. Son anxiété l'avait empêché de profiter des vacances de Noël. Niles avait forcément prévu de lui tendre un piège au centre commercial ou chez lui. Ou pendant qu'il se cachait derrière sa boîte aux lettres pour échapper à Josh Barkin. C'était pire depuis que les cours avaient repris ; il ne se sentait en sécurité nulle part. Ça faisait trois semaines, maintenant, et Niles n'avait toujours rien tenté. Sans doute grâce à la vigilance permanente de Miles mais, même si c'était une sorte de victoire, elle avait un goût terriblement amer.

Holly déambulait dans les couloirs d'un pas assuré. Elle saluait les autres élèves, souriait aux professeurs, tapotait les casiers quand elle passait devant. Elle avait de l'énergie. Du charisme.

Miles restait toujours un pas ou deux derrière elle, en alerte maximale. Holly tendit le doigt vers une affiche collée au mur :

Juste à côté, une autre affiche, immense. Surmontée d'un feston de papier crépon, elle représentait une photo en noir et blanc de Josh Barkin avec son père.

JOSH
BARKIN

votre délégué
de classe,
votre futur délégué
de classe,
et sûrement un jour
votre directeur.

Votez
(pour moi) !

— Je suis sûre qu'il a volé le papier crépon dans la salle
d'arts plastiques, déclara Holly. Et, évidemment, il a
obtenu le meilleur emplacement pour son affiche, juste à

côté de la fontaine. J'ai été obligée de coller la mienne à côté des toilettes des profs.

Elle montra une autre affiche un peu plus loin.

POUR VOTER POUR HOLLY RASH. VOTEZ POUR HOLLY RASH.

Elle haussa les épaules.

– Enfin, quelqu'un doit bien représenter le contre-pouvoir.

Ils continuèrent leur chemin.

– Bonjour, Alice, lança Holly à Alice. Salut, Scotty, fit-elle encore à l'intention d'un garçon probablement prénommé Scotty.

Ils prirent un autre couloir et se retrouvèrent face à...

– Salut, Niles.

– Salut, Holly, salut, Miles.

Miles voulut détourner le regard, mais Niles le fixait droit dans les yeux. L'estomac de Miles gargouilla et se noua (après toutes ces semaines à ne manger pratiquement que des pâtes de fruits, ce n'était pas très étonnant). Le sourire de Niles n'avait rien d'inhabituel : il était innocent et chaleureux comme celui que se devait d'afficher le bras droit du directeur. Mais Miles détecta autre chose. C'était presque imperceptible. Une certaine arrogance mêlée à quelque chose du genre « prends garde à tes fesses, Miles Murphy ». Ça faisait des semaines que ce sourire rendait

Miles malade. Au beau milieu d'un cours, il arrivait à Niles de se tourner vers Miles juste pour le lui adresser. Ou bien c'était quand Miles traversait le parking. La nuit, le sourire de Niles apparaissait dans les cauchemars de Miles. (Sauf que Niles avait la tête couverte de poils et qu'il avait des petits yeux rouges. En général, le cauchemar avait lieu dans le rayon laitages du supermarché. C'était très bizarre.)

Quoi qu'il en soit, Niles n'arrêtait pas de sourire.

Bien sûr, il savait que Miles détestait son sourire. D'ailleurs, Miles savait que Niles savait et Niles savait que Miles savait qu'il savait. D'une certaine façon, c'était encore pire. Ce sourire était un présage, un message, une menace. Il arrivait même à Miles de se demander si le sourire de Niles ne constituait pas le piège en lui-même. Mais au petit matin, alors que les premiers rayons du soleil traversaient ses rideaux, il savait qu'il ne s'en tirerait pas aussi facilement.

Chapitre
25

HOLLY ET MILES S'ARRÊTÈRENT devant le nouveau casier de Miles. Le numéro trois cent trente-six. Stuart entrait son code pour ouvrir le casier juste en dessous. Le numéro trois cent trente-sept, qui était l'ancien casier de Miles.

– Eh, depuis quand tu as un casier dans la rangée du haut ? s'enquit Holly.

– On a échangé ! répondit Stuart.

– Qui échangerait un cas...

Derrière Stuart, Miles posa à plusieurs reprises son doigt sur sa bouche pour demander à Holly de se taire.

– Je sais ! fit Stuart. Qui échangerait un casier du bas contre un casier du haut ?

Holly haussa un sourcil. Tout le monde préférait un casier dans la rangée du haut. Miles avait réussi un tour de force et c'était bien le seul point positif du mois qui venait de s'écouler.

Il s'y était pris d'une manière très classique. Juste avant le déjeuner, il s'était agenouillé devant son casier et avait sorti une pièce de sa poche.

– Eh, t'as vu ça ? avait-il lancé à Stuart. Vingt-cinq cents !

– Tu viens de la TROUVER ?

– Ouais et, regarde, c'est une pièce du bicentenaire !

– Wahou ! C'est COOL ! s'était exclamé Stuart avec enthousiasme. Est-ce que ces pièces ne valent pas PLUS que vingt-cinq cents ?

– Elles valent deux dollars, je crois, avait confirmé Miles.

Stuart n'avait toujours pas fermé la bouche.

– J'en trouve tout le temps, avait repris Miles. C'est une des raisons pour lesquelles je suis super content d'avoir un casier dans la rangée du bas.

– UNE des raisons ?

– Oui, il y en a des tas d'autres. Je ne suis pas obligé de soulever mes livres aussi haut, par exemple. Tu sais qu'on peut se faire très mal. Tu n'as jamais ressenti un genre d'étirement dans l'avant-bras ?

– OUI ! s'était écrié Stuart. Ça M'ARRIVE ! C'est grave ?

– Ça peut être une tendinite. Ou le canal carpien.

– Wah ! La VACHE !

– Ne t'en fais pas, ce n'est probablement pas ça, l'avait rassuré Miles en rempochant sa pièce.

Stuart avait l'air un peu nerveux. Il était temps de ferrer.

– Dans les casiers du bas, ton déjeuner reste plus au frais, avait-il continué, parce que tout le monde sait ça, la chaleur monte.

– J'aimerais TROP avoir un casier en bas !

– Eh, attends, Stuart. Je n'ai pas l'intention d'échanger avec toi !

– S'IL TE PLAÎT !

– Non, jamais de la vie ! J'adore mon casier.

– S'IL TE PLAÎÎÎÎT !!!!!

– Bon, peut-être… oh et puis non.

– QUOI ?

– Je me disais que si tu me donnais tes pâtes de fruits pendant toute une semaine j'accepterais peut-être, mais…

– Et si je te les donne pendant un MOIS ?

C'est comme ça que Miles avait obtenu le casier du haut. Il avait hâte de raconter toute l'histoire à Holly, mais Stuart ne partait pas. Il avait l'air d'avoir du mal avec son code.

– Euh, Miles, demanda-t-il, c'est quoi le dernier chiffre, déjà ?

– Treize.

– Ah oui !

Stuart tourna le cliquet vers la droite et la porte métallique s'ouvrit.

– Tiens, c'est quoi, ÇA ?

Il y eut alors un bruit de ressort, suivi d'un « Hummpfff » étouffé. Une tarte à la crème venait de s'écraser sur son visage.

Voilà ce que Stuart avait vu dans son casier :

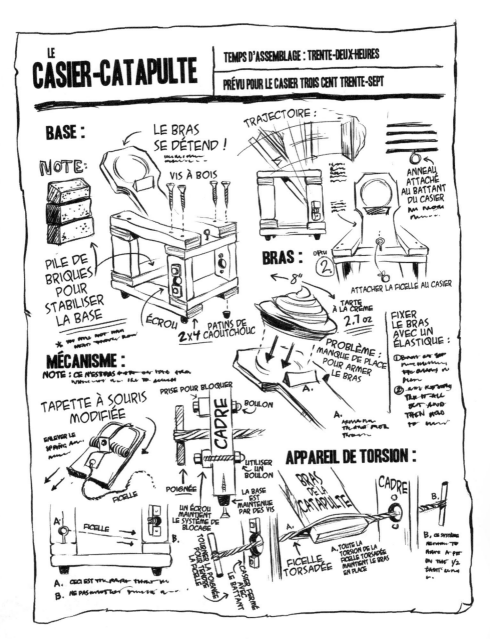

– QU'EST-CE QUE C'EST QUE C'EST QUE ÇA ! hurla Stuart en retirant le moule en aluminium collé à son visage. C'était DINGUE !

Miles se baissa pour regarder dans son casier. La catapulte était impressionnante. Carrément démente, même. La farce combinait un style classique – une bonne vieille tarte à la crème – et un système très innovant. Seul Niles Sparks pouvait en être l'auteur. Sauf que… il s'était trompé de casier !

Miles éclata de rire.

– Ha ! Ha ! Il ne savait pas qu'on avait échangé nos casiers !

L'info avait sûrement échappé à Niles. Beaucoup trop occupé à scier, à boulonner et à sourire, il avait raté un détail crucial. Il voulait un conseil ? Miles en avait un pour lui : ne pas rater de détail crucial ! Après une longue liste de canulars ratés, Miles avait enfin inversé la tendance ! Et il n'avait même pas fait exprès !

Stuart prit la cerise confite collée sous son œil et l'avala.

– Mmmm, c'est bon !

Miles ressentit un bref sentiment de pitié pour Stuart, victime malgré lui. Mais, après tout, il avait l'air de se régaler avec cette cerise.

Tout ce raffut avait attiré du public. Et le rassemblement avait attiré Barkin.

— Place ! Place ! lança le directeur en se frayant un chemin entre les élèves pour évaluer la situation.

Ce qu'il vit :

Stuart, le visage plein de crème.

Miles, juste à côté de Stuart le visage plein de crème.

— Stuart ! beugla-t-il. Vous êtes couvert de crème fouettée.

— Je sais ! rétorqua Stuart. Il y a une catapulte à tartes dans mon casier.

— Ah oui ? tonna Barkin, le visage déjà violet.

Il se pencha pour examiner à son tour l'intérieur du casier de Stuart.

— Ma foi, Barry, marmonna-t-il. Ceci est une catapulte.

Il sortit une paire de gants en plastique de sa banane.

— Voyons voir s'il y a des indices.

Miles savait déjà que le directeur n'en trouverait pas. Niles avait peut-être commis une erreur, mais aucune chance qu'il en ait commis deux.

— Rien, déclara Barkin après avoir prudemment tripoté la catapulte. Mais l'enquête n'est pas terminée.

Miles fit comme si Barkin n'était pas en train de le fixer d'un œil noir.

Barkin continua quand même de le fixer.

La sonnerie retentit et le directeur se tourna vers les curieux.

— En classe, tout le monde ! La sonnerie signifie que vous êtes en retard. Ne croyez pas que j'hésiterai une seconde à coller soixante-deux élèves en même temps. Je serais même ravi de détenir ce record !

Alors que la foule se dispersait, Miles aperçut Niles. Il avait l'air perdu. Désenchanté. Dépité.

Et, pour la première fois en trois semaines, Miles sourit. Puis il alla à son casier récupérer son livre de maths en se disant qu'il prendrait de la pizza au déjeuner. Oui, de la pizza, c'était une excellente idée.

Il ouvrit son casier.

– Waouh ! TOUTES LES
CERISES ! s'exclama Stuart.

Miles espérait que Barkin ne
soit plus en train de regarder
dans sa direction.

Mais, évidemment, il n'eut
pas cette chance.

– Je n'ai rien fait ! jura Miles.

– Troisième infraction ! rugit
le directeur.

Chapitre 26

LE DIRECTEUR BARKIN semblait très détendu. Il était confortablement installé dans son fauteuil et son visage n'était pas violet, ni même rouge foncé. Pour Miles, c'était très mauvais signe.

– Quelqu'un m'a piégé, affirma-t-il.

– Ah oui ? Quelqu'un t'a piégé, répéta le directeur. Et qui t'a piégé, Miles Murphy ?

Miles ne voulait pas dénoncer Niles.

– Beaucoup de gens.

– Beaucoup de gens, Miles Murphy ? Hum. Je ne doute pas que des tas de gens te détestent parce que tu es un petit malin. Et tu viens une nouvelle fois de faire ton petit malin.

– Ce n'est pas moi ! fit Miles.

– Alors comment expliques-tu les preuves retrouvées dans ton casier ?

– Une coïncidence ?

– Oui, bien sûr, Miles Murphy ! Une coïncidence ! On découvre de la crème Chantilly et des cerises dans ton casier le jour où Stuart se retrouve avec une tarte à la crème Chantilly et aux cerises sur le visage ! Quelle coïncidence ! Sans compter que le casier de Stuart était encore mardi dernier *ton* casier. Ce qui signifie que tu en connais le code ! On dirait bien que ça fait deux coïncidences, Miles Murphy ! Avec toutes ces coïncidences, je te suggérerais bien de courir jouer au Loto, sauf qu'aujourd'hui n'est *pas du tout* ton jour de chance !

Miles se trémoussa sur sa chaise.

— Il y a une autre raison pour laquelle je ne te conseillerais pas de jouer au Loto : le Loto est interdit aux enfants ! Mais ce n'est pas comme si la loi effrayait Miles Murphy ! Parce que, après tout, les enfants n'ont pas non plus le droit de conduire. Et encore moins de conduire *ma* voiture ! Ce n'est probablement pas légal non plus de garer une voiture sur le perron du collège ! Et je ne sais toujours pas comment tu as fait.

— Ce n'est pas moi, dit Miles.

Barkin ricana.

— Jamais une voiture n'avait bloqué l'entrée de *mon* école ! Jamais un nuage de sauterelles n'avait envahi une de *mes* classes ! Dans laquelle se trouvait *mon* fils. Jamais une catapulte à tartes n'avait été installée dans un de *mes* casiers. Et tu sais ce qui n'était jamais arrivé non plus ?

Barkin tendit l'index, qu'il avait étonnamment long.

– Un élève comme toi, Miles Murphy ! Et toi, tu oses prétendre qu'il s'agit d'une coïncidence ?

– Euh… oui, réaffirma Miles.

– Ne m'interromps pas ! C'était une question rhétorique. Est-ce que tu sais au moins ce qu'est une question rhétorique ?

Miles ne savait pas s'il devait répondre.

Barkin le fixait.

– Euh… oui, bredouilla-t-il.

– C'était une question piège ! s'exclama le directeur Barkin d'un ton triomphant. Que tu répondes oui ou non, tu perdais !

Le visage de Miles grimaça.

Au loin, une vache meugla.

– Tu comprends, maintenant, Miles Murphy ? Tu ne peux pas gagner ! Tu as déjà perdu. Tu as perdu à la seconde où tu as décidé de jouer contre un Barkin.

Le directeur repoussa sa chaise et se redressa.

– Les Barkin sont directeurs de l'académie de sciences et de lettres de Roupilleville depuis cinq générations ! pérora-t-il. Tu sens le poids de l'histoire sur tes épaules ? Défie un Barkin et tu nous défies tous !

Il désigna les portraits accrochés au mur.

– Il n'y en a que quatre, fit observer Miles.

– Quoi ?

THADDÉUS BARKIN
— 1868 —

ROGER BARKIN
1903

BERTRAND BARKIN
1971

BARRY BARKIN - 1999

– Il n'y a que quatre portraits. Vous avez dit « cinq générations ».

– Ah ! Euh... oui. Le portrait de mon grand-père a été enlevé.

La remarque de Miles avait coupé le directeur dans son élan.

Grand-père Jimmy était toujours si gentil. Il faisait apparaître des pièces derrière l'oreille du petit Barry. Ça n'arrivait que pour Thanksgiving parce que c'était le seul jour où le père de Barry laissait son propre père venir à la maison. « Qu'est-ce que c'est que ça, derrière ton oreille ? disait-il. De la saleté ? » Puis il claquait des doigts et – tada ! – la pièce apparaissait. Et ce n'était pas tout. Après un sermon de dix minutes sur l'importance fondamentale et philosophique de se laver derrière les oreilles, il donnait la pièce à Barry en lui faisant promettre de la déposer sur un compte pour financer ses études. « Les intérêts que cet argent te rapportera, ajoutait-il, voilà la vraie magie ! »

Mais, justement, grand-père Jimmy était trop gentil. Il avait fermé l'école durant toute une journée pendant le blizzard de 1936, entachant ainsi le bilan jusqu'à présent immaculé des Barkin. Le directeur n'avait pas oublié ce jour où son père avait pris ses fonctions. « Enlevez-moi ça ! » avait-il ordonné. C'était ses premiers mots en tant que directeur, et Burt, le concierge, avait obéi et décroché le portrait de James « Jimmy » Barkin du mur. En rentrant chez lui, Barry avait vu le tableau dans son cadre cassé appuyé contre une poubelle à l'arrière du collège. Il avait songé à le récupérer et à le rapporter chez lui. Mais il aurait désobéi à son père.

Et ça, c'était inimaginable.

Alors il ne l'avait pas fait.

Peut-être aurait-il dû.

Non ! Barry Barkin avait fait le bon choix, ce jour-là ! Son père avait eu raison d'enlever le portrait. L'autorité d'un directeur ne souffre aucun ramollissement ! Il n'y avait pas de place pour la moindre faiblesse.

Le directeur Barkin se reprit.

– Tu es collé, Miles Murphy. Tu viendras en retenue tous les matins avant que les cours commencent et tu resteras après. Tous les jours jusqu'à ce que tu quittes cet établissement !

Chapitre
27

MILES N'AVAIT JAMAIS entendu parler de retenue *avant* les cours. Techniquement, on ne pouvait même pas appeler ça une retenue. Pour être retenu, il fallait qu'on soit déjà en cours ! Là, c'était de la prévention, de la détention, de l'incarcération.

Comment allait-il expliquer ça à sa mère ?

Il alla aux toilettes et y trouva Niles Sparks assis sur un lavabo. Miles commençait à en avoir marre des surprises.

– Comment tu savais que je viendrais ici ?

– C'est le premier endroit où j'irais si j'avais été collé, expliqua Niles.

Miles ouvrit le robinet d'eau froide du lavabo d'à côté (de toute façon, il n'y avait pas de robinet d'eau chaude). Il se regarda dans le miroir. Il n'avait pas bonne mine. Il avait besoin de sommeil. Sauf qu'à partir du lendemain il allait devoir se lever encore plus tôt pour aller en colle.

– Écoute, Niles, déclara-t-il en soupirant, je déclare forfait.

– Je refuse, répondit Niles.

– Je n'en peux plus, assura Miles. Je ne vais plus avoir le temps de préparer des canulars, de toute façon. Tu as gagné. La guerre est finie.

– Oh ça, si tu veux, fit Niles avec un sourire.

– Mais tu viens de dire que...

– Je n'accepte pas ta reddition, c'est tout, l'interrompit Niles.

Il tendit la main.

– Faisons plutôt la paix.

– Mais...

– Oh, arrête ! lança Niles. Quoi ? C'est moi qui mène aujourd'hui, et alors ? Tu aurais fini par m'avoir, de toute façon.

Miles n'en était pas si sûr.

– Tu sais que j'ai raison, continua Niles. Je n'ai pas cessé de te le répéter : tu es doué. Tu comprends les gens et tu as un vrai talent d'improvisation. Ce tract sur le bacon destiné à M. O. ? C'était génial. Le prétexte des dix plaies d'Égypte ? Grandiose. Je n'aurais jamais pu inventer ça en quelques secondes. Je suis plutôt du genre qui a besoin de prendre son temps, ajouta-t-il en haussant les épaules.

– Ah oui ?

– Oui. Et puis je n'ai jamais voulu de cette guerre. Les petits malins comme nous ne devraient pas se marcher sur les pieds.

Miles s'aspergea le visage d'eau.

– Beaucoup de soi-disants rois du canular se contentent de faire sauter des pétards dans les toilettes et s'en gargarisent toute l'année. Nous, on est d'un autre calibre. On a de l'ambition. On est des visionnaires.

Miles hocha la tête. Il s'était toujours considéré comme un visionnaire.

– On a besoin l'un de l'autre, Miles ! conclut Niles.

– Besoin l'un de l'autre ? s'exclama Miles. Tu n'arrêtes pas de dire que j'ai besoin de ton expérience et de ton savoir.

Niles acquiesça.

– C'est vrai.

Miles leva les yeux au ciel.

– C'est vrai, répéta Niles, je peux t'apprendre des choses, comme tu peux m'en apprendre. Si on est ensemble, nos canulars seront meilleurs. On se complète parfaitement et… bla-bla-bla. En réalité, ce n'est pas vraiment pour ça que nous avons besoin l'un de l'autre.

Le robinet était toujours ouvert.

– Pourquoi alors ? voulut savoir Miles.

– J'ai besoin d'un ami, reconnut Niles. Et toi aussi. On profite bien mieux d'un canular à deux.

Niles tendit de nouveau la main.

– On fait la paix, alors ?

Si Miles acceptait, Niles et lui ne seraient pas seulement camarades, ils deviendraient amis. Ça méritait réflexion. Il n'avait jamais rencontré quelqu'un comme ce garçon assis sur le lavabo : un lèche-bottes premier de la classe avec le cerveau d'un petit malin de génie. Un visionnaire. Un type totalement hors du commun. Miles Murphy voulait-il vraiment d'un ami comme lui ?

— D'accord, on fait la paix.

Les deux garçons se serrèrent la main et Niles sauta du lavabo.

— Super. Je vais faire en sorte que Barkin te fiche la paix.

— Comment ?

— Je suis à peu près certain que punir un élève au vu de simples indices est une violation du chapitre treize, section deux du code de discipline.

— Quoi ?

— Ça veut juste dire qu'il n'a aucune preuve que tu aies commis une infraction. Je vais le convaincre de lâcher la bride et d'essayer de te prendre la main dans le sac. Comme ça, il oubliera les heures de colle et l'idée de te virer pour de bon.

Miles ferma le robinet.

— D'accord. Alors je suppose que je fais profil bas pendant quelque temps ?

— Oh non ! fit Niles avec un grand sourire. Parce que, toi et moi, on va préparer le plus gros canular que Roupilleville ait jamais connu.

FAIT N° 921

Un individu mange en moyenne 24 kilos de crème glacée par an. Devinez qui on doit remercier pour toute cette crème glacée ? Les vaches, bien sûr ! Avez-vous remercié une vache aujourd'hui ?

FAIT N° 922

Aucune vache n'est tachée de la même manière. Les taches des vaches sont comme leurs empreintes digitales ! Ça peut être utile si une vache cambriole une banque.

FAIT N° 923

Les vaches ne cambriolent jamais de banques.

WAOUH !

Chapitre
28

LE LENDEMAIN MATIN, Miles trouva un poulet en plastique dans son casier.

À 15 h 30, il sonna à la porte du 47, rue du Babeurre.

Niles lui ouvrit. Il ne portait pas d'écharpe en travers du torse.

— Tu as réussi à déchiffrer mon rendez-vous codé !

Miles tenait le poulet à la main.

— Le code-téléphone, c'est niveau maternelle, répondit-il.

— Tu n'étais pas obligé d'apporter le poulet.

— Ah oui, c'est vrai. J'avais oublié que je l'avais.

— Entre.

La maison des Sparks était propre et silencieuse. Miles suivit Niles à travers plusieurs pièces moquettées de blanc. Canapés beiges, grands écrans de télé, tabourets de bar, bois clair et cuir blond.

4773
8232
3182
2221
223282
7373
3215
4230

— Là, c'est la salle télé, là, une salle de bains, là, la cuisine.

— Tes parents ne sont pas là ? demanda Miles.

— Si, mon père est dans son bureau, ma mère dans le sien.

Il montra deux directions opposées.

— Ils travaillent à la maison, précisa-t-il. Tu veux un truc à boire ? On a tout ce que tu veux. Un soda ? Normal ou sans sucre ? J'ai aussi de la limonade. Elle est super bonne. Si tu préfères, je peux te préparer un Arnold Palmer, moitié limonade, moitié ice-tea.

— Euh… juste un verre d'eau, s'il te plaît.

— Eau du robinet ou eau gazeuse ?

— Eau du robinet, ce sera cool.

Niles eut l'air déçu.

— Euh, en fait, de l'eau gazeuse, se reprit Miles.

— Génial !

Les deux garçons s'installèrent au bar avec leur boisson.

— Alors, commença Niles. Je me débrouille comment ? C'est la première fois que j'invite un copain à la maison, alors je ne suis pas sûr de bien m'y prendre.

— Ouais, tu te débrouilles super bien.

— Tu t'amuses ? On pourrait sortir, mais je ne savais pas si tu voudrais.

— Ça va. Tout est O.K.

Niles but une gorgée d'eau.

– Non, c'est pas O.K. Viens, je vais te montrer un truc vraiment cool.

La chambre de Niles tranchait sur les autres pièces de la maison. Pas de moquette, mais un parquet sombre et brillant, un tapis rouge avec une bordure dorée, un bureau, un lit et un fauteuil qui avaient l'air très vieux, deux immenses enceintes branchées à un système audio compliqué, le plus gros globe que Miles avait jamais vu et des livres, des livres et encore des livres, jusqu'au plafond. Est-ce qu'ils étaient rangés dans un ordre quelconque ? On ne pouvait pas savoir. Dans une colonne, un atlas côtoyait trois romans d'espionnage, *Prendre un accent étranger*, une anthologie de blagues, deux exemplaires d'*Un amour de tortue* de Roald Dahl, un manuel sur les cactus, un autre sur les Hittites et encore un sur les pur-sang.

– Dingue ! souffla Miles.

– Attends, t'as encore rien vu.

Niles ouvrit une porte près de son bureau.

– Après toi.

– Qu'est-ce qu'il y a là-dedans ?

– À la base, c'est une penderie. Mais je n'avais pas besoin d'une penderie.

– C'est quoi, alors ?

– Tu vas voir.

Miles sentit des picotements au bout des doigts. Est-ce que Niles lui avait préparé un tour à sa façon ? Est-ce qu'il avait tout prévu depuis le début ? Est-ce qu'il allait recevoir un seau de paillettes sur la tête ? Ou est-ce que Niles allait l'enfermer et libérer des centaines de tarentules ?

Il entra.

Niles le suivit et referma la porte. Il tira sur une chaîne et une ampoule s'alluma. Les quatre murs étaient en fait des tableaux noirs couverts de schémas et de plans tracés à la craie. Certains étaient codés, d'autres non ; il y en avait même dans une langue étrangère. À la gauche de Niles, une carte illisible avait pour légende : « Fil dentaire sur l'eau ». Dans un coin, près d'une boîte remplie de chaussettes noires, était noté : « Rien que dans la tête de la victime ». Miles regardait en prenant garde de ne pas s'appuyer au mur pour ne rien effacer. Il avait l'impression d'être à l'intérieur d'un carnet de notes géant en trois dimensions.

– Bienvenue dans mon laboratoire, annonça Niles.

Il retourna deux caisses et s'assit sur l'une d'elles. Miles prit place sur l'autre.

– Bon, fit Niles. Tu es prêt à prononcer le serment sacré du canular ?

– Attends, il existe vraiment ? questionna Miles, étonné.

Niles sortit une feuille jaunie d'un mocassin.

– Bien sûr. Personne ne sait qui l'a écrit, mais il vient de l'Ordre international du désordre. C'est une confédération de spécialistes du canular créée il y a deux siècles. Lève ta main gauche.

– Ça ne devrait pas être la main droite ?

Niles secoua la tête.

– Ce n'est pas un serment comme les autres. Droite, c'est comme le droit, la loi. Nous, on fait des farces, des blagues, des canulars. En latin, gauche se dit *sinistra*. Sinistre, tu vois. Nous commettons des méfaits.

Miles leva la main gauche.

Sur mon honneur

Je mettrai tout mon cœur

À être le meilleur dans le pire

À perturber sans détruire

À embarrasser l'imbécile et faire rire le gentil

À me dévouer corps et âme à la mystification, au canular et à la facétie

À prouver que le monde tourne mieux avec un peu de poudre de perlimpinpin

Car je suis un petit malin
Ainsi soit-il.

– Ainsi soit-il, répéta Miles.

– Parfait ! lança Miles. Je nous déclare les seuls membres de l'Ordre international du désordre de Roupilleville. Nous serons à présent les Deux Terribles !

– Génial, affirma Miles avec un sourire.

– Il nous faut une poignée de main secrète, annonça Niles.

Assis sur leurs caisses retournées, ils réfléchirent.

– J'ai trouvé ! s'exclama Miles au bout d'un moment. Lève deux doigts comme ça.

Niles l'imita.

– Et maintenant on fait comme si on se frappait dans les mains.

– Ça veut dire quoi ?

– Ça fait un « V », comme pour « victoire ».

– Cool !

Miles sourit.

Niles rit.

C'était officiel.

Les Deux Terribles se mirent aussitôt au travail.

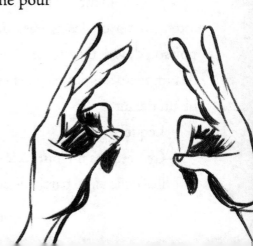

NILES SE LEVA.

— Quel est le meilleur jour de l'année ?

C'était manifestement une question rhétorique.

— Le 1ᵉʳ avril, poursuivit Niles.

Miles acquiesça.

— Le 1ᵉʳ avril 1698, à Londres, toute la ville fut invitée à assister au nettoyage des lions de la Tour de Londres. Un grand nombre de gens firent le déplacement. Sauf qu'il n'y a pas de lions dans la Tour de Londres. Sans compter qu'on ne lave pas vraiment des lions.

— Pas de lions, mais beaucoup de chèvres, renchérit Miles.

— Exactement ! Toutes ces chèvres étaient venues attendre devant les douves de la Tour. C'était le premier poisson d'avril. Depuis, le 1ᵉʳ avril est resté le jour des farces, des impostures, des blagues et des canulars. Le 1ᵉʳ avril n'a qu'un défaut.

— Lequel ?

— Ce n'est pas un jour férié.

Niles effaça une partie de son mur-tableau.

— Notre canular doit être si génial que Barkin sera obligé de fermer l'école pour la journée.

Deux heures plus tard, Miles était affalé dans le grand fauteuil de la chambre de Niles pendant que ce dernier faisait les cent pas. Sur le sol, un bol vide, des miettes de chips et quelques canettes écrasées.

Une partie du mur du laboratoire était couvert de nouvelles idées. Aucune d'entre elles n'était bonne.

Du moins, aucune n'était assez bonne.

— La dernière fois que l'école a été fermée, c'était à cause du blizzard, réfléchit Miles à voix haute. C'est peut-être idiot, mais est-ce qu'on aurait un moyen de contrôler la météo ?

Niles fit une grimace.

— Je ne pense pas. J'ai entendu dire qu'en Chine ils ont des machines qui peuvent faire pleuvoir ou neiger, mais je ne vois pas comment on pourrait s'en procurer une.

— Et si on bloquait toutes les entrées, comme tu as fait avec la voiture de Barkin ?

— Hmmm, fit Niles, pas convaincu.

— Et d'ailleurs comment est-ce que tu as réussi à garer cette voiture sur le perron ?

— Restons concentrés, répliqua Niles.

— D'accord. Cette fois, on bloque l'entrée avec un énorme camion.

– Trop difficile à se procurer, objecta Niles. Et puis les élèves pourraient passer dessous. On pourrait monter des murs de briques devant les portes… mais ça ferait trop de dégâts.

– Les sauterelles, c'était une bonne idée, reprit Miles. Un millier de sauterelles ne seraient pas suffisantes pour faire fermer l'école, mais un million ?

– Ça nous coûterait trop cher. Et puis on se répéterait. On doit voir plus grand.

– Plus grand qu'un million ?

– Plus grand que des sauterelles !

– Des vaches ! s'écria Miles.

– Mais…

– Une vache peut monter un escalier, mais elle est incapable de le descendre !

Niles s'arrêta brusquement.

– Comment tu sais ça ?

Miles sortit de son sac le livret que le directeur lui avait remis le jour de la rentrée. Il était complètement chiffonné.

Niles lança une craie à Miles.

– Étudions ça !

Deux semaines, six boîtes de céréales, quatre paquets de chips (dont trois goût oignons) et une boîte de réglisse rouge plus tard, ils avaient recouvert la totalité du mur du laboratoire.

Ça allait être grandiose.

Chapitre
30

L E 1ᴱᴿ AVRIL TOMBAIT UN LUNDI.

Exactement cinquante-deux jours plus tard.

Miles et Niles passèrent tous leurs samedis après-midi à la bibliothèque ou dans la chambre de Niles. À la cantine, ils s'asseyaient ensemble et préparaient leur canular en prenant garde de faire comme s'ils ne préparaient rien du tout.

– On dirait que vous êtes devenus super-copains, Niles et toi, observa Holly un matin.

– C'est vrai, confirma Miles.

La vérité est toujours la meilleure couverture.

Holly le considéra, un sourcil en arc de cercle.

Quand la neige fondit, Miles et Niles, couverts de grosses doudounes, se retrouvèrent dans la forêt près du lac. Ils se choisirent l'arbre parfait, un vieux sycomore au tronc noueux et à la ramure impressionnante. La mère de Miles était tellement contente d'apprendre que son fils et son copain se faisaient une cabane qu'elle leur fournit des outils et des matériaux. Les parents de Niles – que Miles avait croisés une ou deux fois – financèrent le reste.

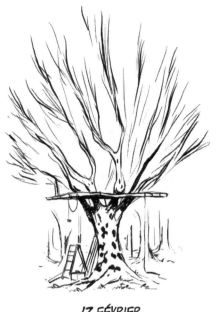

17 FÉVRIER

24 FÉVRIER

1ER MARS

31 MARS

Les deux garçons scièrent, assemblèrent, clouèrent et, bientôt, ils purent marcher sur le sol de leur cabane. Le toit suivit. Même s'il faisait encore froid, ils s'apportèrent des livres qu'ils lisaient dans la pâle lumière de février.

Peu à peu, le temps se réchauffa.

Niles apporta sa tente et Miles la monta dans la cabane. Niles fournit les Chamallow. En mars, leur arbre bourgeonna. Ils ajoutèrent des murs et une fenêtre à leur cabane.

– C'est parfait ! déclara Niles.

Miles inscrivit « quartier général secret » à la peinture rouge au-dessus de la porte. Ils gravèrent leurs initiales près de la fenêtre.

Ils finalisèrent leur canular six mètres au-dessus du sol.

À présent, il était temps.

L E POINT DE DÉPART OFFICIEL du canular

se situa le 23 mars, au moment où Miles Murphy déposa une enveloppe dans une boîte aux lettres près de chez lui. Cependant, la véritable action ne devait débuter que le 1er avril à 00 h 01.

Miles regarda les chiffres rouges de son radio-réveil passer de « 23 : 59 » à « 00 : 00 ». Une petite musique s'éleva, mais il était déjà réveillé. En fait, il n'avait pas dormi. Deux heures plus tôt, il avait abandonné le livre

sur lequel il ne parvenait pas à se concentrer et avait passé tout son temps à fixer son réveil.

Il se leva et prit son sac. Il avait espéré être trop fatigué ou trop excité pour avoir le trac. Pourtant, il avait le trac.

Et il était aussi fatigué et excité.

— Joyeux 1ᵉʳ avril, marmonna-t-il. Et maintenant, au boulot.

Miles aurait aimé se faire une corde avec ses draps, mais sa mère était du genre à dormir profondément. Du coup, c'était beaucoup plus simple de descendre l'escalier et de sortir par la porte.

Les étoiles brillaient dans le ciel d'encre. L'air froid pénétra dans ses poumons. Le silence n'était rompu que par le grésillement d'un lampadaire. C'était la première fois que Miles était dehors à cette heure-là. C'était… exaltant ! Il rabattit sa capuche sur sa tête et se dirigea vers le lieu de son rendez-vous.

Une voiture, phares allumés, approchait dans sa direction. Il s'agenouilla pour refaire un lacet. « Aie l'air naturel », s'intima-t-il. Il s'attendait à ce que le conducteur s'arrête et lui demande ce qu'un gamin de son âge faisait dans la rue au milieu de la nuit, mais le véhicule ne ralentit même pas.

Miles reprit sa route.

Dans la rue du Printemps, un raton laveur émergea de derrière une gouttière et le contempla comme s'il savait exactement ce que Miles mijotait.

Il semblait apprécier. Ils étaient de la même race.

Des bandits masqués rôdant dans l'obscurité.

Puis le raton laveur fila.

Miles arrivait dans une zone où il n'y avait plus de lampadaires. Ça n'avait pas d'importance, il connaissait le chemin par cœur. Le macadam laissa place à la terre battue. Puis il n'y eut même plus de chemin et Miles sauta par-dessus une barrière. L'herbe était haute et il se retrouva mouillé jusqu'aux genoux. Une fois à l'abri des arbres, il alluma sa lampe torche. Pas plus d'une seconde, juste pour repérer les racines et les nids-de-poule. Il y était presque.

Une fois arrivé, il regarda l'heure. Onze minutes d'avance. Il s'adossa à un érable et attendit.

À 1 heure tout juste, un grincement régulier se fit entendre. Miles alluma brièvement sa lampe trois fois de suite. Trois éclairs lumineux lui répondirent. Niles arrivait sur son vélo. Il y avait accroché le petit chariot de Miles, dans laquelle trônait une botte de foin.

– Ça me paraît plus lourd, ce soir, commenta Niles en posant pied à terre.

Il portait un jean noir, un pull noir et un chapeau de cow-boy noir.

– Pourquoi tu as mis un chapeau ? lui demanda Miles.

– Ça me semblait approprié, déclara Niles.

Une partie de Miles voulait se moquer de Niles. Une autre partie voulait son chapeau.

– On y va, dit-il.

Chapitre
32

NILES SOUFFLA DANS SES PAUMES et se frotta les mains l'une contre l'autre. C'était la première fois que Miles le voyait nerveux.

Niles mit ses mains en porte-voix et appela. Sa voix résonna dans la nuit.

— Allez, les filles, allez, allez, aaaaaaallez !

Rien.

Ça ne marchait pas.

— Bon, fit-il. On va essayer autre chose.

— D'accord, acquiesça Miles.

— Petites, petites, petites ! appela de nouveau Niles.

Silence.

Niles haussa les épaules, gêné. Miles se mâchouilla la peau du pouce. Ce n'était pas à lui de s'occuper de cette partie du plan. Il aurait peut-être quand même dû vérifier.

— J'essaye encore, lança Niles. Venez, les vaches ! Veeeenez manger le bon foin !

Au loin, une vache meugla.

Et une autre.

Une autre encore.

Toutes les vaches se mirent à meugler ensemble. Et les meuglements se rapprochèrent.

– Veeeeenez ! Bon foin ! continua Niles.

– Meuh ! répondirent les vaches.

Miles, ravi, ne put s'empêcher de rire.

Une silhouette bovine apparut en haut de la colline. Une cloche tintait à son cou.

– Hé, regarde ! s'exclama Niles d'une voix réjouie. Elle a une cloche ! C'est celle qui guide le troupeau !

Les vaches arrivaient de partout, et tout le troupeau de Bob Barkin se trouva bientôt rassemblé dans la prairie. Elles se demandaient sûrement pourquoi la traite avait lieu si tôt. Ou peut-être pas. Ce n'étaient que des vaches, après tout.

Niles tapa dans ses mains.

– On peut y aller.

Il réenfourcha son vélo et cria :

– Veeeeeeeenez, petites !

Il lança une poignée de foin dans la direction des vaches et se mit à pédaler. La vache à la cloche suivit le foin et les autres vaches suivirent leur guide.

C'était maintenant à Miles de jouer.

SUR SES DEUX MOIS DE LECTURE sur les vaches, le passage préféré de Miles Murphy était tiré du livre de J. M. Iverson, *La Boviculture digne* : « Chaque créature sur cette terre est soit un prédateur, soit une proie. La vache est une proie, elle pense comme une proie, elle agit comme une proie. Si vous voulez déplacer des vaches, vous devez devenir un prédateur. »

Le plus gros du troupeau suivait Niles, qui pédalait à travers la prairie. Mais certaines vaches prenaient la mauvaise direction et d'autres restaient à brouter sans avancer.

Miles s'accroupit dans l'herbe haute. « Tu es un coyote », se dit-il en bondissant avec une certaine grâce.

Les retardataires levaient la tête à son approche. Puis elles agitaient leurs oreilles et le fixaient de leurs gros yeux ronds avant de pousser un meuglement et de se décider à bouger.

À présent, toutes les vaches se déplaçaient ensemble. Miles zigzaguait derrière, les poursuivant à la manière d'un fauve. Elles devenaient de plus en plus nerveuses,

donnant des coups de patte, de tête, meuglant, pétant. Comme elles résistaient, Miles continuait son manège en se répétant : « Tu es un coyote, tu es un coyote. »

Alors qu'ils montaient une côte, une vache effrayée s'éloigna du troupeau. Miles allait s'élancer pour la rattraper, mais il se retint, et tout se passa exactement comme l'avait décrit J. M. Iverson dans le premier paragraphe du chapitre un : instinctivement, les vaches restent ensemble.

Peu à peu, elles formèrent une ligne, deux par deux, trois au maximum. Les mères devant, les veaux derrière elles et, en dernier, les plus vieilles, qui semblaient râler. Leurs meuglements étaient assourdissants.

Miles dénombrait approximativement cent têtes. C'est comme ça que disent les cow-boys.

– Barrière ! cria Niles.

Miles fila vers l'avant et se jeta sur les barres métalliques. Il souleva la clenche et poussa de tout son poids. Il y eut un grincement, le tintement d'une cloche, le gémissement du vélo de Niles et Miles se jeta sur le côté.

Niles passa juste devant lui, pédalant comme un fou tout en jetant du foin par-dessus son épaule.

– Veeeenez, petites, veeeeeenez !

La vache guide passa la barrière, puis deux autres vaches et deux encore.

Miles courut reprendre sa place à l'arrière.

– Allez-y, les filles, allez-y !

Les vaches dégageaient une chaleur qui fumait dans la nuit. Leur odeur, riche et douce, emplissait les narines et la gorge de Miles.

La dernière vache franchit la barrière. Miles, essoufflé, mit les mains sur ses genoux. Son ami pédalait dans

la lueur de la lune. Plus de cent vaches les séparaient. On était au milieu de la nuit et aucun d'entre eux, ni Niles, ni Miles, ni les vaches, n'était là où il aurait dû être. Miles s'accroupit et posa la main sur la terre humide. Des insectes, des vers de terre grouillaient sous ses doigts.

Niles pédalait et les vaches le suivaient. Loin de leur champ, loin de la barrière, loin de la ferme de Bob Barkin.

Niles donna un coup de poing dans le vide. Miles leva la tête et hurla comme un loup.

Chapitre
34

UNE FILE DE VACHES d'au moins cent cinquante mètres de long avançait sur le boulevard Chapman, une des rues les plus calmes de Roupilleville. Les deux garçons avaient minutieusement préparé leur itinéraire. Il était 3 h 13 du matin et tous les habitants de Roupilleville dormaient profondément.

Niles fit tinter deux fois la sonnette de son vélo : ils arrivaient à un carrefour.

Miles fila de nouveau vers l'avant du troupeau, traversant les pelouses, sautant par-dessus les buissons, piétinant peut-être une ou deux plates-bandes de fleurs printanières. Il arriva au coin du boulevard Chapman et de la rue Ellis avant Niles, qui avait ralenti pour lui donner le temps de sortir la tente de son sac à dos. Il la jeta en l'air avec une légère torsion du poignet, comme Niles le lui avait montré, et *shpoiiing !* la tente s'ouvrit. Miles la posa au milieu de la rue Ellis pour empêcher les vaches de prendre cette direction. Du moins, c'était l'idée, car la tente lui parut soudain beaucoup trop petite et il espéra que ça serait suffisant. De toute façon, il n'avait rien d'autre.

Niles apparut sur son vélo, les bêtes toujours derrière lui. Miles tendit la main pour en effleurer une. Elle avait le poil rêche, humide et chaud. Il sentit ses doigts. C'était la première fois qu'il touchait une vache.

Tout se déroula sans anicroche et Miles put replier la tente. C'était censé être facile, mais il n'y arrivait jamais. C'était le même principe que pour le pare-soleil dans la voiture de sa mère et Miles n'avait jamais réussi non plus avec le pare-soleil. Il lui fallut une bonne minute pour faire une espèce de boule, qu'il fourra tant bien que mal dans son sac à dos. Ensuite, il rejoignit le troupeau en courant et arriva juste à temps pour entendre de nouveau Niles faire tinter sa sonnette.

Ils avaient six carrefours à traverser en tout. Au quatrième, Miles se contenta de déplacer la tente sans la déplier. Sauf que, du coup, il ne voyait pas où il mettait les pieds. Il trébucha, tomba, se releva, mais ne perdit pas une vache. À 3 h 56, ils arrivaient sur le cours du Versant-Ensoleillé. C'était la dernière ligne droite.

C'est alors que Niles donna cinq coups de sonnette. Ils avaient de la compagnie. Miles vit son camarade faire signe à un homme sur sa pelouse. Il était âgé et vêtu uniquement d'un caleçon. Il regardait les vaches passer, l'air complètement hébété.

— Si jamais on croise quelqu'un, ce qui n'arrivera probablement pas, avait dit Niles à Miles dans le laboratoire, suis ton instinct. N'oublie pas : tu as un don pour l'improvisation.

Là, à l'instant précis, Miles sentait une boule dans sa gorge et, quand il arriva devant l'homme, il n'avait toujours pas décidé de ce qu'il allait lui dire.

Le type, en plus de son caleçon, avait un bandeau autour du front. Ses cheveux blancs ébouriffés brillaient dans la lueur de la lune.

Ils étaient si près du but. Ils ne pouvaient pas échouer maintenant…

— Qu'est-ce que vous faites avec ces vaches en pleine ville ? demanda l'homme.

— Et vous, qu'est-ce que vous faites en caleçon, à 4 heures du matin ? rétorqua Miles.

— Ah oui, c'est vrai, répondit l'homme. Et ce fut tout.

Huit minutes plus tard, Niles arriva devant l'académie des sciences et des lettres de Roupilleville. Il sauta de son vélo et tira le chariot sur les marches tout en répandant du foin derrière lui. Puis il sortit un énorme trousseau de clés de sa poche et ouvrit la porte principale.

Miles vit les lumières du hall s'allumer.

Niles écarta les battants en grand et appela :

– Veeeenez, petites, veeeenez !

Il disparut à l'intérieur en traînant le chariot.

La vache à la cloche renifla les marches. Elle renifla, meugla, puis elle monta en se dandinant. Elle passa la tête dans le hall, le cou, le corps entier et la queue. Une deuxième vache suivit.

Miles poussa le troupeau en avant. Les vaches le détestaient plus qu'elles ne détestaient les marches. Et puis elles faisaient ce que les autres faisaient. Il ne fallut pas plus de six minutes pour que les 107 vaches franchissent le seuil de l'académie des sciences et des lettres de Roupilleville.

Miles referma la porte et attendit dehors.

Niles éteignit toutes les lumières et le rejoignit.

– Joyeux 1er avril, lança-t-il.

Les deux garçons s'écroulèrent de rire sur la pelouse humide du collège. Ils firent le « V » de la victoire avec leurs doigts et se tapèrent dans les mains.

– On est trop forts !
– Ouais, on est trop forts !
Et ils se remirent à rire.

LE TÉLÉPHONE DU DIRECTEUR BARKIN

sonna à 4 h 03 du matin.

Il décrocha.

— Hmmmmpppppfffff ?

— BARRY, C'EST TON PÈRE, L'ANCIEN DIRECTEUR BARKIN. JE TE RÉVEILLE ?

— Non, répondit le directeur Barkin.

— NE ME MENS PAS. JE L'ENTENDS À TA VOIX.

— Il y a un problème ? demanda le directeur Barkin.

— TU SAIS QUEL JOUR ON EST ?

— Le…

— LE 1ER AVRIL ! l'interrompit son père. LE JOUR DU POISSON D'AVRIL. ET TOI, TU DORS COMME UN IMBÉCILE ALORS QUE TU DEVRAIS ÊTRE EN TRAIN D'ÉCRIRE TON DISCOURS DE 1ER AVRIL.

— Je l'ai écrit hier soir, grommela le directeur.

– ALORS TU DEVRAIS ÊTRE EN TRAIN DE L'APPRENDRE PAR CŒUR.

– D'accord.

– EN TRAIN DE T'ENTRAÎNER À LE PRONONCER.

– D'accord.

– À METTRE DE LA FORCE DANS TA VOIX.

– D'accord.

– À T'ASSURER QUE CHAQUE ÉLÈVE SACHE BIEN QU'AUCUNE FARCE D'AUCUNE SORTE NE SERA TOLÉRÉE EN CE 1ER AVRIL.

– Tu sais, papa, que pour certaines personnes téléphoner aux gens à 4 heures du matin est considéré comme une farce du 1er avril ?

– COMMENT OSES-TU ? CET APPEL N'A RIEN D'UNE FARCE ! JE NE FAIS PAS DE FARCE ! JE N'AI JAMAIS FAIT DE FARCE ET JE N'EN FERAI JAMAIS !

– C'était une blague, papa.

– UNE BLAGUE ? UNE BLAGUE OU UNE FARCE ? LA FRONTIÈRE EST MINCE ENTRE LA BLAGUE ET LA FARCE, BARRY ! ET TU ES BIEN PRÈS DE CETTE FRONTIÈRE QUAND TU ACCUSES TON PÈRE DE FAIRE DES FARCES ! UN DIRECTEUR FARCEUR ! EXACTEMENT COMME

TON GRAND-PÈRE JIMMY. TU SAIS QU'UNE FOIS...

– Je vais répéter mon discours, papa.

– ALORS VAS-Y !

– Au revoir, papa.

– EMBRASSE JOSH ET SHARON DE MA PART !

Barry Barkin raccrocha et resta assis sur le bord de son lit dans le noir.

– C'était mon père, finit-il par dire à sa femme. Il t'embrasse.

– Hmmmppffff, répondit Mme Barkin.

M. Barkin n'avait plus envie de dormir. Quand il fermait les yeux, le visage de Miles Murphy lui apparaissait. Ce petit malin avait probablement prévu quelque chose. Son père avait sans doute raison. Son père avait toujours raison.

Il alluma sa lampe de chevet.

À 6 h 03, le directeur, douché, rasé, le ventre plein de tartines de bouillie d'avoine, gara sa voiture à sa place réservée sur le parking du collège. Il activa l'alarme qu'il venait de faire installer sur son véhicule et monta la volée de marches qui menait à la porte de derrière de l'académie des sciences et des lettres de Roupilleville.

Il renifla.

Ça sentait la vache. Le vent devait venir des fermes alentour.

Il ouvrit la porte et avança dans le noir jusqu'à l'interrupteur. Il heurta quelque chose de gros et poilu.

— Qu'est-ce que c'est que ça ? se demanda-t-il.

Il alluma la lumière.

C'était une vache.

Barkin dut se retenir de rire.

— Joyeux 1er avril, dit-il à la vache.

La liste des suspects dans cette affaire de vache n'était pas longue. En fait, elle comportait un seul nom. Décidément, Miles Murphy se prenait vraiment pour un petit malin. Dommage pour lui, il ignorait que le directeur avait l'habitude de venir tôt au collège. Il avait donc tout le temps de se débarrasser de cette vache. Il lui suffisait de la ramener tranquillement en bas et…

Le directeur Barkin s'arrêta net.

En bas ?

« Fait n° 586 »…

Les vaches ne peuvent pas descendre les marches.

Il devait trouver une autre solution. Il pouvait par exemple… cacher la vache dans son bureau.

– Allez, par ici, la vache, dit-il au bovin endormi.

La vache ne répondit pas. Le directeur se plaça derrière elle et poussa.

En vain.

Il essaya alors de la tirer.

La vache ne bougea pas d'un pouce.

– Remue-toi, la vache, s'énervait le directeur en essayant à nouveau de la pousser.

C'est alors qu'une deuxième vache, qui se demandait probablement d'où venait tout ce bruit, apparut à l'angle du couloir.

– Deux vaches ? s'écria le directeur.

Cette farce était plus élaborée qu'il ne l'avait cru au départ. Le directeur n'était pas sûr de réussir à faire entrer deux vaches dans son bureau. Il pouvait peut-être en mettre une dans les toilettes des professeurs.

Une troisième vache choisit ce moment pour se montrer.

Le directeur Barkin eut un affreux pressentiment. Il se dirigea sur la pointe des pieds vers l'angle du couloir et passa la tête...

– Noooooon ! hurla-t-il. Non, non, non, non, non, non !

Il courut jusqu'au hall.

Des vaches. Des vaches partout.

– Non, non, non, non, non, non, non, non, non, non, non, non, non, non !

Des vaches dans les salles de classe.

– NON, NON, NON, NON, NON, NON, NON, NON, NON, NON, NON, NON, NON, NON, NON, NON, NON, NON, NON, NON !

C'était terrible. C'était une véritable catastrophe. Il devait très vite trouver une solution. Il devait sauver l'école. Il avait besoin de réfléchir. Loin de toutes ces vaches. Il monta l'escalier quatre à quatre, se fraya un chemin entre les vaches montées au deuxième et ouvrit la porte de son royaume, son jardin secret, sa retraite, son sanctuaire : le placard à balais.

Il alluma la lumière.

– NOOOOOOOOOOOOOON !

Une vache mâchouillait une serpillière. C'était le coup de grâce.

À 7 H 45, MILES ET NILES traversèrent le parking et rejoignirent les élèves, regroupés sur la pelouse du collège. Le directeur, armé d'un porte-voix, empêchait tout le monde d'entrer. Plus tard, les élèves seraient tous d'accord pour dire que son visage n'avait jamais été aussi violet. On aurait dit qu'il s'était transformé en myrtille géante.

– JE RÉPÈTE, METTEZ-VOUS EN RANG !

– Qu'est-ce qui se passe ? demanda Holly.

– Oui, renchérit un certain Scotty. Qu'est-ce qui se passe ?

– IL SE PASSE QUE VOUS NE POUVEZ PAS ENTRER DANS LE COLLÈGE MAINTENANT PARCE QUE… PARCE QU'IL Y A LE FEU ! répondit le directeur.

La panique s'empara des élèves. Certains se mirent à crier.

– EUH… IL Y *AVAIT* LE FEU, se reprit le directeur Barkin.

C'ÉTAIT UN PETIT FEU, TOUT PETIT ET IL EST ÉTEINT. VOUS DEVEZ RESTER DEHORS POUR LE MOMENT. J'AI LA SITUATION EN MAIN. IL N'Y A AUCUN DANGER !

– Pourquoi on ne peut pas entrer s'il n'y a aucun danger? questionna Mlle Shandy.

– EUH… PARCE QU'IL Y A… UNE INONDATION. PAR CHANCE, ELLE A ÉTEINT L'INCENDIE MAIS IL Y A DE L'EAU PARTOUT. ALORS RESTEZ GROUPÉS DEVANT L'ÉTABLISSEMENT. LES COURS AURONT LIEU, NE VOUS INQUIÉTEZ PAS.

– Ça sent la VACHE ! s'exclama soudain Stuart.

– QUOI ? NON ! PAS DU TOUT. C'EST UNE ODEUR DE BRÛLÉ HUMIDE. ÇA SENT TOUJOURS COMME ÇA QUAND IL Y A LE FEU ET UNE INONDATION JUSTE APRÈS.

Quelque part du côté de la classe d'arts plastiques, une vache meugla.

– On aurait dit une vache qui meuglait, déclara Holly.

– C'EST RIDICULE ! affirma le directeur. RÉFLÉCHIS AVANT DE PARLER, HOLLY. EST-CE QUE ÇA TE PARAÎT POSSIBLE ? QU'EST-CE QUI TE SEMBLE LE PLUS

CRÉDIBLE : DES VACHES DANS LE COLLÈGE OU UN INCENDIE SUIVI D'UNE INONDATION ?

– Euh… un incendie suivi d'une inondation ? avança Holly d'une voix hésitante.

– EXACTEMENT, HOLLY, EXACTEMENT !

– Il y a une VACHE dans la salle D'ARTS PLASTIQUES ! s'écria Stuart.

Il avait le nez collé à la vitre, les mains en visière au-dessus des yeux.

– STUART ! ÉLOIGNE-TOI IMMÉDIATEMENT DE CETTE FENÊTRE ! tonna le directeur.

– Mais il y a SIX vaches dans la salle D'ARTS PLASTIQUES ! lança Stuart.

Ce fut aussitôt le chaos. Les élèves riaient aux éclats.

– JEUNES GENS ! C'EST UN MESSAGE DU DIRECTEUR BARKIN : ÉLOIGNEZ-VOUS DU BÂTIMENT ! ARRÊTEZ DE REGARDER PAR LES FENÊTRES ! cria le directeur dans son mégaphone.

– Il y a des vaches PARTOUT ! continua Stuart.

La vache à la cloche, qui s'appelait Rosette, apparut derrière le directeur.

– Alors, ça ! fit Holly, les yeux écarquillés.

– Encore une VACHE ! s'époumona Stuart. C'est DINGUE !

L'haleine de Rosette laissa une grosse trace de buée sur la vitre.

– IL N'Y A ABSOLUMENT RIEN DE DINGUE ! tempêta le directeur Barkin.

– Je crois que vous vous donnez du mal pour rien, monsieur le directeur, souffla Mlle Shandy.

– ALLEZ-VOUS-EN ! TOUS ! ARRÊTEZ DE REGARDER ! PARTEZ !

Le directeur craquait. Il était au bord de la crise de nerfs.

– L'ÉCOLE EST ANNULÉE !

Tous les élèves poussèrent des hourras et applaudirent.

Chapitre
37

NILES INVITA MILES pour fêter leur victoire avec un délicieux petit déjeuner : des céréales, des tartines, trois sortes de confitures, des œufs brouillés aux oignons, le tout accompagné de grands verres de lait.

Mais le canular n'était pas encore terminé.

Vers 10 h 30, les deux garçons repartirent au collège.

Le directeur était toujours à l'intérieur. Josh avait essayé de l'aider en poussant une vache vers la porte de derrière.

— Elle ne veut pas descendre les marches, papa.

— Bien sûr que non ! Les vaches ne peuvent pas descendre les marches ! Tu n'as pas lu le fascicule sur les vaches ? Tu ne m'es d'aucune aide ! Rentre à la maison.

Le directeur avait appelé sa femme, qui était passée prendre Josh. À présent, il était assis sur le perron du collège, les yeux dans le vide.

— Niles, s'exclama-t-il en voyant les deux garçons approcher. Je suis content de te voir.

Il tourna la tête vers Miles et ajouta :

— Miles, je ne suis pas content du tout de te voir. À moins que tu ne sois là parce que Niles a la preuve que tu es responsable de cette catastrophe et qu'il vient te livrer.

— Ce n'est pas moi, fit Miles.

— C'est ce que tu dis à chaque fois, grogna le directeur. Tu devrais t'en faire faire un T-shirt. Moi, j'en porterais un avec marqué dessus « Je sais que c'est toi » !

— Monsieur le directeur, intervint Niles. Miles n'aurait jamais pu faire ça.

Le directeur haussa les sourcils.

— Et pourquoi pas ?

— Parce qu'il a dormi chez moi.

— Un soir de semaine ?

— On révisait pour le contrôle de Mlle Shandy, expliqua Niles.

— Un contrôle ? répéta le directeur. J'ai fermé l'école un jour de contrôle ?

— C'était aussi le jour des élections, renchérit Niles. On devait élire les délégués de classe.

Le directeur secoua la tête.

— On dirait que vous n'avez pas réussi à vous débarrasser des vaches, remarqua Miles.

— Bien sûr que non ! aboya le directeur. Les vaches ne peuvent pas descendre les marches ! Est-ce que personne n'a lu ce fascicule ?

— Vous devriez peut-être appeler votre frère, suggéra Niles. Il est bien éleveur, non ?

— Je ne peux pas, gémit le directeur. Ce sont les siennes. Elles sont toutes marquées de ses initiales.

– Oh, fit Niles. Vous devriez quand même le prévenir.

– Non, non, non. Bob ne pourra pas s'empêcher de… Vous ne pouvez pas comprendre. Merci d'être venu, Niles, mais je crains que tu ne puisses rien pour moi. Et toi, Miles, encore moins.

– En fait, reprit Niles, nous pensons savoir qui a fait le coup. Nous pensons connaître le responsable de tous ces canulars.

Barkin se redressa.

– Ah oui ?

– Oui, affirma Miles. Nous pensons que… enfin…

– Que c'est Josh, acheva Niles pour lui.

– Josh qui ? demanda le directeur.

– Josh Barkin, répondit Miles.

– Josh Barkin, mon fils ?

– Oui, confirma Niles.

– C'EST N'IMPORTE QUOI ! beugla le directeur.

Niles secoua la tête.

– Vraiment ? Réfléchissez bien. Il a accès à vos clés de voiture. Et aux clés du collège. Il a même les codes des casiers. Peut-être que c'est lui qui a piégé Miles avec la catapulte. Tout le monde sait que Josh déteste Miles.

– Tout le monde déteste Miles, maugréa le directeur. Il se prend pour un petit malin.

— Peut-être que ce n'est pas lui, le petit malin… insista Niles.

Le directeur hésitait.

— Non, c'est impossible ! Josh n'aurait pas pu faire ça ! Il était à une sortie de scouts organisée par Cody Burr-Tyler hier soir !

— Un soir de semaine ?

— Eh bien… il était invité par Cody Burr-Tyler…

Miles sourit.

— Cody Burr-Tyler n'existe pas, monsieur le directeur.

— C'est vraiment n'importe quoi !

— Oui, vraiment, renchérit Niles. Je suis allé à son anniversaire et je lui ai même acheté un cadeau !

— J'ai rencontré des élèves de Sainte-Perpète l'autre jour, poursuivit Miles. Ils n'ont jamais entendu parler de lui.

— Mais, alors, à qui avons-nous tous offert des cadeaux ? Qui portait le casque de football ? À moins que…

— Josh est le seul à ne pas être venu à la fête.

Le directeur avait l'air de plus en plus perdu.

— Non, non, non ! J'ai l'invitation de Cody Burr-Tyler, regardez vous-mêmes !

Il sortit un carton de sa poche.

Niles y jeta un coup d'œil.

> Cher Josh Barkin
> C'est ton vieil ami Cody Burr-Tyler. Je t'invite à me rejoindre à la sortie scout que j'organise le 31 mars. Depuis plus de cent ans, cette sortie est organisée la veille du 1er avril et elle tombe malheureusement cette année un soir de semaine. Elle a pour but de renouveler nos vœux de respect de l'autorité. J'espère que tu pourras venir. Je te promets que nous ne nous coucherons pas trop tard et que mon père te déposera à l'heure au collège.
>
> Cordialement,
> Cody Burr-Tyler

— C'est écrit en rouge, remarqua Niles en poussant un long soupir dramatique. Je suis désolé de devoir vous l'annoncer aussi abruptement, monsieur le directeur, mais cette invitation pourrait bien être un faux. Josh a été le seul élève du collège à répondre à mon questionnaire de bien-être de la mi-année au stylo rouge.

Pour une fois, le visage du directeur Barkin n'était pas violet. Il était blanc comme un linge.

— Excusez-moi, les garçons, je dois passer un coup de fil.

Quelques jours plus tôt, Josh Barkin avait reçu une invitation de Cody Burr-Tyler. Mais ce n'était pas pour une sortie scout. Et elle n'était pas écrite en rouge. Elle avait été écrite par Miles, qui l'avait lui-même postée le 23 mars. Voilà ce qu'elle disait :

Mon cher Josh Barkin

Comment ça va, mon pote ?
Devine quoi ?
Tu es invité à faire partie du

GROUPE DE CANULARS SECRET DE CODY BURR-TYLER !

Mais on ne s'excite pas ! Tu n'as pas encore été accepté comme membre à part entière. Si tu veux vraiment faire partie du club, devine quoi ? Tu devras prouver que tu en es digne en passant toute la nuit dans mon quartier général secret...

UN SOIR DE SEMAINE!!!!!!!!!!!!!!!!!

Passe la nuit dans ma cabane le 31 mars. À l'aube, tu graveras tes initiales sur le mur. Si tu suis ces instructions, tu seras officiellement membre de mon groupe secret.

Attention : on te surveille. Si tu arrives à l'aube et que tu nous fais croire que tu as passé toute la nuit là-haut, on le saura. Si tu essaies d'inscrire tes initiales avant l'aube, on le saura aussi. Et, dans ce cas, tu n'auras plus JAMAIS l'occasion de faire partie de mon groupe secret.

Comment tu vas t'y prendre ?
Ça, c'est ton problème ! Invente un truc.
Dis à tes parents que tu passes la nuit
à une sortie scout avec moi ou... attends,
c'est pas mon boulot de te donner des idées.
DÉBROUILLE-TOI !

DÉTRUIS CE MESSAGE
DÈS QUE TU L'AURAS LU.
MANGE-LE OU CE QUE TU VEUX...

— CODY

Il suffit d'un simple appel de directeur à directeur pour que Barkin s'assure qu'effectivement aucun élève du nom de Cody Burr-Tyler n'était inscrit à Sainte-Perpète. Pourtant, quand il téléphona chez lui, son fils lui promit, lui jura que Cody existait réellement.

— C'est vrai, avoua-t-il. Ce n'était pas une sortie scout, mais je ne pouvais pas déplacer les vaches de l'oncle Bob. J'ai passé toute la nuit au quartier général secret de Cody Burr-Tyler. J'ai même gravé mes initiales dans le mur. Avec la date. Je peux te montrer, si tu veux.

Le directeur suivit donc son fils dans la forêt. Mais, même s'il avait fallu des clous, des planches et six semaines pour bâtir la cabane dans l'arbre, Niles et Miles n'avaient pas eu besoin de plus qu'un bon petit déjeuner et quelques heures pour la démonter entièrement.

ᴵᴱᴿ AVRIL

— Mais… fit Josh Barkin au pied du sycomore, dont les bourgeons roses n'allaient pas tarder à éclore.

— Je veux que tu sortes de cette forêt, que tu rentres à la maison et que tu montes dans ta chambre, ordonna le directeur à son fils. Tu es puni jusqu'à nouvel ordre. Et même si cette décision m'est douloureuse, je te préviens que tu es à partir de maintenant en période d'essai à l'académie des sciences et des lettres de Roupilleville !

– En période d'essai ? Tu ne peux pas faire ça… Ça voudrait dire que…

– Oui, ça veut dire que tu es inéligible pour le poste de délégué. Holly Rash n'aura donc pas d'opposant !

Josh tourna le dos à son père et marmonna :

– Nullos.

Mais le directeur n'avait pas terminé.

– Je peux te mettre en période d'essai ! Je peux faire ce que je veux ! Je suis le directeur.

M. Barkin resserra le nœud de sa cravate rouge. Il avait passé une journée désastreuse, mais il venait de faire un excellent discours.

Chapitre
38

LA MEILLEURE FAÇON de faire descendre des marches à une vache est de construire une rampe en contreplaqué (c'est aussi la meilleure façon de faire monter des marches à une voiture). Quand Bob Barkin eut terminé la construction de la rampe, Miles Murphy dormait déjà profondément.

Ça faisait longtemps que Miles ne s'était pas couché si tôt. Après avoir quitté le collège pour la seconde fois de la journée, il était rentré directement chez lui. Son chariot l'attendait devant la porte avec un cadeau à l'intérieur. Enveloppé de papier vert et enrubanné de jaune. Il le monta dans sa chambre et l'ouvrit. Dans une boîte à chaussures, une écharpe reposait sur du papier de soie. Dessus était écrit : « Bras droit du directeur ». Il l'essaya et trouva qu'elle lui allait bien. C'était peut-être dû à la fatigue.

Il se brossa les dents, glissa son carnet de notes sous son oreiller et se coucha. Les derniers rayons du soleil éclairaient sa chambre ; néanmoins, il ne ferma pas les volets.

Miles Murphy était un cow-boy. Un gardien de vaches. Une légende du canular. Un des Deux Terribles. Et personne ne le savait. Sauf lui et Niles Sparks.

Il était heureux et son lit était confortable. Il ne tarda pas à s'endormir profondément. Il n'avait jamais aussi bien dormi depuis son arrivée à Roupilleville.

Au loin, une vache meugla.

À PROPOS des AUTEURS

MAC BARNETT est un célèbre écrivain de livres pour enfants. Il a publié entre autres *Extra doux*, illustré par Jon Klassen, qui a reçu la mention *Caldecott Honor Book*.

JORY JOHN est auteur et éditeur.

KEVIN CORNELL a illustré de nombreux livres pour enfants, dont certains écrits par Mac Barnett.

Achevé d'imprimer en août 2015
par Normandie Roto Impression s.a.s. à Lonrai

Dépôt légal : octobre 2015. N° 117459-1 (1503105)

Imprimé en France